KB054299

대한민국은
어디로?

대한민국은 어디로?

김동춘
사회평론집

민주화를 넘어
사회개혁으로

책머리에

4년 전 2015년, 나는 박근혜 정부에 절망해서 『대한민국은 왜?』라는 책을 썼다. 1987년 한국의 민주화, 두 번의 민주정부의 경험에도 불구하고 왜 한국의 민주주의는 그렇게 후퇴할 수밖에 없었는지 한 세기의 한반도 역사를 통해 설명하려 했다. 그후 4년 동안 우리는 절망의 나락에서 희망의 언덕으로 올라섰다. 한국민의 저력을 온 세계에 자랑스럽게 보여주었다. 미국, 남미나 유럽 주요국가 등 전 세계 많은 나라에서 민주주의가 후퇴하는 국면에, 저성장 경제기조 속 불평등과 청년실업이 만연한 오늘의 세계에서, 그래도 한국의 시민들은 역사를 퇴행시키려는 박근혜 정부를 추방한 쾌거를 이루었기 때문이다.

이런 극적인 반전을 겪었다고 해서 『대한민국은 왜?』의 문제의식과 설명이 폐기된 것은 아니다. 박근혜 정부의 퇴행을 가져온 구조적 원인들은 거의 그대로 남아 있고, 촛불정부도 그것들과 힘겹게 씨름할 수밖에 없었거나, 어떤 구조적 적폐들과는 애초에 싸움조차 걸지 않았기 때문이다. 문재인 정부가 들어선 지도 2년이 지났는데, 나는 정권초기 문재인 정부가 노무현 정부 제2기가 되어서는 안 되고 제2의 민주화, 즉 87년 민주화 이후 제대로 의제화되지 못한 사회경제적 개혁을 추진하기를 기대했다. 그러나 문재인 정부는 남북관계 등에서 놀라운 성과도 거두었지만, 국내의 사회개혁 작업은 거의 진전시키지 못했다.

그래서 남북 정상의 만남, 북미 정상 간의 역사적 만남에 크게 환호했던 국민들의 높은 기대는 점점 실망으로 변하고 있다. 난마처럼 얽힌 사회개혁의 과제, 생활대중의 경제적 고통이 술술 풀리리라고 기대하는 사람은 없고, 야당이 사사건건 딴지를 거는 여의도 정치판에서 대통령의 의지가 있어도 그것을 현실화하기 어려운 점도 있다. 그러나 2016-2017 촛불시위에서 보여준 국민들의 강력한 개혁 요구를 생각해보면 과연 앞으로 이보다 더 좋은 기회가 올까 하는 생각을 지울 수 없고, 이 좋은 기회를 맞아 초기에 강력한 드라이브를 걸지 못한 문재인 정부에 큰 책임을 묻지 않을 수 없다.

그래서 나는 지난 2년 동안은 문재인 정부의 정책에 대해 비판적 지지의 입장을 취하되, 거시적 차원에서 한국이 장기적으로 가야 할 길을 계속 글을 통해 지적해왔다. 그 이전인 이명박·박근혜 정부처럼 권력이 내 생각과 완전히 대립될 경우는 날선 비판의 기조를 유지하지 않을 수 없었고, 문재인 정부처럼 집권세력의 정책과 방향이 내 생각과 일치하는 부분이 많을 경우는 건설적인 비판이나 제언을 주로 했다. 그러나 지금까지 어떤 정권, 정당도 내가 신명과 정열을 바칠 정도의 가치나 노선을 보여준 경우는 없었으므로, 정밀한 대안을 제시하기보다는 비판의 기조가 대부분이었다. 그래서 오래전부터 내 글을 읽었던 사람이라면 "저 사람은 언제나 비판만 한다"고 짜증스러워할지도 모르겠다.

나만 그런 것은 아니겠지만 사실 87년 민주화 이후 30년, 외환위기 이후 20년은 87년 이전에 열망했던 만큼의 행복한 시간이 아니었다. 아니 차라리 투쟁해야 할 이유가 있었고, 희망을 논할 수 있었으며, 주변 모든 사람이 함께 힘들었던 시절이 그리울 정도로 우리 사회는 완전히 양극화되었고 주변을 돌아봐도 고통 속에 보내는 사람의 수는 줄어들지 않았다. 70년대 말 80년대 중반까지의 엄혹한 시절을 생각해보면, 당시의 내 또래 청년들이 기껏 이런 나라 만들기 위해 그렇게 날밤을 지샜나 하는 자괴감도 든다. 8,90년대라는 거대한 성장의 시기를 거쳐서 우리의 생활수준이나 일상이 선진국의 수준에 진입한 것은 물론 다행스러운 일이지만, 그 시절 동년배 세대로 도저히 인정할 수 없었던 많은 사람들이 대체로 권력과 부를 누리고 있는 반면, 민주화 운동에 헌신하여 고통을 자초했던 많은 사람들은 지금도 여전히 힘들게 살고 있다. 민주화가 되었다고 하나 세상은 거의 바뀌지 않았다는 것이 40년 이상 한국 정치를 지켜보고 내 처지에서 개입해온 나의 판단이다. 그래서 나는 『대한민국은 어디로?』라는 질문을 던지면서 오늘도 나 자신의 목마름을 호소한다.

나는 정치·과거사·국가폭력·노동·교육 등 다양한 분야에 관심이 있는 '잡학 사회과학자' 혹은 제너럴리스트다. 2000년 이후 거의 10년 동안 뜻하지 않게 한국전쟁 민간인 학살 진상규명 운동과 정부 위원회의 관련 사건들 조사 책임자로 일하다보니 내 원래 관심 연구분야였던 노동·교육·계급계층 문제 등 사회학의 핵심 주제이자 한국의 중하층 일반이 겪고 있는 문제와 그 대안 찾기 작업을 뒤로 제쳐두었다. 그래서 최근에는 노동·교육 두 영역의 상호관련성, 그리고 그것이 어떻게 하나의 사회 시스템으로 연결되어 재생산되고 있는가를 이해하자는 내용의 글들을 많이 썼다. "대한국민이 어디로 가야 하는가"라는 질문과 대답은 주로 내 전공인 사회적 의제와 관련된 것들이다. 이 책에서는 생각의 단편들이 비체계적으로 제시되어 있지만 앞으로 학술저서를 통해 정밀한 논의를 전개해나갈 작정이다.

나는 청소년들이 입시의 중압감에서 해방되는 행복한 세상에서 살기를 원한다. 그리고 청년 비정규 노동자들이 극히 위험한 작업장에서 죽음을 무릅쓰고 불안한 고용 조건, 장시간 저임 노동에 시달리지 않는 그런 세상에 살기를 원한다. 그런 세상이 쉬 오지 않는다는 것을 알고 있지만 이들 모두를 고통스럽게 만드는 현실은 학교나 기업 자체에 있지 않고, 한국 자본주의 사회경제 시스템, 더 거슬러 올라가면 남북한의 전쟁/분단체제와 깊이 연관되어 있다는 것이 내 생각이다. 물론 분단·전쟁·냉전 체제는 지구적인 자본주의 질서의 하위에 속해 있으며 한국 문제는 한국만의 문제가 아니라는 것도 잘 알고 있다.

나는 90년대 중후반부터 여러 언론 매체에 고정 필진 혹은 특별기고 형태로 칼럼을 기고했으며, 『한겨레』에 매월 정기적인 칼럼을 기고한 것은 지난 10년간이었다. 진실화해위원회 '어공'(어쩌다 공무원) 노릇 4년을 마치고 대학으로 복직한 2010년 초는 이명박 정권의 퇴행이 극심할 때였다. 특히 그전 4년 동안 내 목소리를 내지 못했기 때문에, 하고 싶은 말이 많았다. 그래서 이명박·박근혜 정권이 끝나는 2016년까지는 『한겨레』『다산포럼』『창비주간논평』 등에, 문재인 정부 등장 이후에는 주로 『한겨레』에 고정칼럼을 기고했고, 여기에 실은 글들은 그중 『한겨레』『다산포럼』에 실린 것과 페이스북에 쓴 짧은 글들을 선별한 것이다.

학자로서 내가 갖고 있는 관심과 문제의식을 일반인 대상의 짧은 글에 모두 담을 수는 없으므로, 주로 현실 고발과 비판, 그리고 새로운 정책적 대응을 촉구하는 내용이 대부분이었다. 어떤 칼럼은 논문 한편에 담길 만한 많은 내용을 축약한 것들도 있고, 매수의 제약으로 학술적인 개념이나 용어를 제대로 설명하지 않고 마구 나열한 것들도 눈에 띈다.

칼럼을 써야 할 날짜가 다가오면 뉴스를 더 꼼꼼하게 살피게 된다. 강의와 집필을 위해 30년 넘게 신문 스크랩을 하고 있지만, 막상 어떤 주제의 글을 쓰려고 하면 모아놓은 자료를 제대로 찾지도 못하는 경우가 태반이다. 좋은 생각이 떠오를 때마다 메모를 해놓기도 하지만, 예상치 않았던 이슈가 갑자기 떠오르는 경우도 많기 때문에 메모들은 그냥 버려지기도 한다. 어떤 주제를 택할 것인가가 항상 가장 큰 고민거리다. 잘 아는 주제를 선택해야 하지만 시의성도 있어야 하고, 다른 사람이 먼저 말하지 않은 새로운 내용이어야 한다.

여러 차례 고민 끝에 주제를 정하면 핵심 내용을 메모하거나 쓰기 시작한다. 담당 기자에게서 "다음 주 화요일 12시가 원고 마감입니다"라는 메일이나 문자가 오면 점차 긴장이 고조되고 머리가 복잡해진다. 막상 작업을 시작하면 할 말은 점점 많아지지만, 2천자로 압축해야 하는 일이 가장 힘들다. 글 마무리를 하고 다시 읽어보면 별 감동이 없거나 신선한 내용이 없어 보여 그냥 엎어버리고 완전히 다른 주제로 새롭게 시작한 적도 있다. 그러나 칼럼은 본업인 학교 강의나 논문 집필보다는 언제나 후순위의 작업일 수밖에 없다. 그래서 마감 시간이 째깍거리고, 남은 시간은 별로 없으니 결국 불만족 상태에서 마무리한다.

조지 오웰이 말했듯이 모든 글쓰기는 어느 정도는 정치적 행위다. 특히 정치권이나 정부를 겨냥하거나 일반 대중들에게 직접 호소하는 내용의 칼럼은 연구자가 할 수 있는 적극적인 정치적 행동에 속한다. 나는 칼럼을 통해 당면의 정치사회적 사안에 대해 의견을 표명하고, 독자들이 나의 의견에 공감해서 어떤 형태로든 의견을 갖거나 행동으로 표출하기를 기대한다. 글 자체는 세상을 바꿀 수 없다는 생각에 무력감을 느낀 적도 많지만, 내 글을 읽은 사람들이 세상을 좀 달리 보았다고 말하거나 결정권을 가진 사람들이 내 글을 보고 어떤 결정을 하게 되었다고 말할 때 가장 큰 보람을 느낀다.

한편 칼럼은 사회 여론의 분포와 지평을 의식하면서 독자들의 눈높이와 그들이 일상적으로 사용하는 용어를 의식하면서 내용을 채워야 한다. 이 점에서 칼럼은 논문보다는 현실과 모종의 '타협'을 해야 하는 글쓰기다. 내 생각과 주장을 100퍼센트 날날이 드러내기는 어려운 경우가 많다. 그래서 매우 엄격한 연구자라면 이러한 정치적 행위, 즉 타협을 필요로 하는 글은 '잡글' 혹은 '외도'로 볼 것이다.

나는 시의나 상황에 대응하는 칼럼들을 하나의 책으로 묶어내겠다고 생각한 적이 없었다. 그러나 자주 만나는 북인더갭 안병률 대표의 제안으로 지난 10년 동안 쓴 글 중에서 비교적 현재적 의미가 있는 글을 추려서 이렇게 책으로 내게 되었다. 논문 외에는 일체의 '잡글'을 쓰지 않는다는 유명한 선배 학자의 말이 귓전에 따갑게 들리는 것을 의식하면서도, 나는 이 '잡글'들과 페이스북의 촌평을 책으로 묶어내는 '이중의 외도'를 감행(!)하고 말았다. 여기에 묶인 글들이 대한민국의 미래를 고민하는 많은 분들에게 약간의 생각거리를 던져줄 수 있다면 필자로서 더없는 기쁨이겠다.

10년 동안 내 글을 읽고 약간의 수정과 교정 작업을 해준 『한겨레』『다산포럼』 편집부 모든 분들과 여러 꼭지들에 대해 사전 조언이나 충고를 해주신 모든 분들께 감사드린다. 그리고 이 책의 편집에 수고를 아끼지 않은 안병률 대표와 출판사 관계자들에게 감사를 드린다.

2019. 9. 2.

김동춘

차례

4부 : 정의는 상식이다

5부 : 존중받는 노동, 살아나는 사회

6부 : 미래를 기억하라

7부: 밥은 누구의 고통으로 만들어지나

1부

국가의 사회적 감수성

한일 갈등은 세계사적 쟁투

아베의 반도체 수출규제와 과거사 문제제기에 대한 문재인 정부의 단호한 대처는 역대 어느 정부의 대일정책과 비교해 보더라도 진일보한 것이다. 한국인들의 자발적 일본제품 불매 운동과 반일감정 역시 당연한 것이다. 아베는 커져가는 한국의 힘을 제압하려는 의도를 확실히 갖고 있는데, 그렇다면 한국은 21세기 방식 항일투쟁에 나서야 하나?

한국과 일본 간의 과거사는 식민지 책임을 어떻게 볼 것인가에 있고, 이 점에서 한일 관계는 과거 독일과 주변 유럽국가 간의 관계와는 성격이 다르다. 전세계 어떤 제국주의 국가도 식민지 지배에 대해 사죄하거나 배상하지 않았다는 일본의 주장은 대체로 사실이다. 그래서 한일 분쟁이 국제 법정에 가면 일본한테 유리한 판결이 내려질 가능성이 크다.

물론 미국은 언제나 일본 편이었다. 1965년 한일 국교정상화는 일본의 모든 식민지 침략 과거사를 덮어준 1951년 샌프란시스코 강화조약*의 틀 안에 있었다. 이 강화조약은 미국의 동아시아 전후질서 재편 전략의 일환이자, 일본을 미국 주도의 새 국제질서에 복귀시키는 선언이었다. 그래서 처음부터 한일 관계는 한·미·일 관계였다. 개항 뒤 150년 동안 한국이 겪은 비극의 배후에는 언제나 미국과 영국 등의 묵인과 지원이 있었다.

그래서 식민지 책임을 '배상'으로 인정받자는 2018년 한국 대법원의 판결은 세계사적 중요성을 가진다. 이 판결은 강제노동을 당한 유대인들이 독일 기업을 상대로 이긴 판결과는 성격이 다르고, 정치적인 이유로 리비아에 배상을 한 이탈리아의 사례와도 다르다.

그렇다면 한국인 모두는 피해자이고, 일본과 옛 제국주의 국가는 모두가 가해자인가? 오늘 이 갈등은 아베의 새로운 대일본 제국 건설 기도, 일본의 보수 집권세력이 식민지 강점을 인정하지 않은 데서 기인한 것이나, 실상은 그들의 지배를 받

---

* 1951년 9월 8일 샌프란시스코에서 일본과 연합국 사이에 체결된 평화조약. 이로써 전쟁 상태는 종결되었지만, 일본 침략전쟁의 최대 피해국인 한국과 중국은 이 조약에서 제외되었다. 또한 미국은 강화의 목적을 일본의 경제부흥과 재건에 둔 나머지 아시아 각국에 대한 일본의 책임과 배상 문제는 제외시켰다.

아들인 과거 조선 지배층과 친일세력, 반공과 성장의 이름으로 일본의 과거를 눈감아준 역대 정권, 그리고 '외교적으로' 이 문제를 처리하려 한 박근혜 정부와 외교부, 양승태 사법부에도 잘못이 있다.

한편 샌프란시스코 강화회담에서 일본과 영국의 로비 때문에 한국이 배제된 것은 틀림없으나, 이 회담이 서둘러 추진된 중요한 계기는 6·25 전쟁이었다. 한반도의 전쟁은 한국을 전후 국제사회의 종속변수로 만들었고, 한국은 샌프란시스코 회담의 틀 내에서 과거사를 접고, 성장 전략을 추구하게 되었다. 박정희가 일본의 식민지 책임을 묻지 않은 것은 한미 동맹 때문이었고, 경제성장이 다급한 시대적 과제였기 때문이다.

박정희 정권과 『조선일보』 등 보수언론은 1965년 당시 일본이 '경제협력자금' '독립 축하금'으로 준 5억달러를 '보상금'이라고 말해왔지만 이는 사실을 호도한 것이었다. 일본이 국민들에게 침략의 과거사를 가르치지 않은 것처럼, 한국도 항일독립운동을 제대로 가르치지 않았다. 즉 100년의 한일 과거사의 굴절은 미·일·동아시아 질서의 하위 주체인 한국 보수세력의 협력에 의해 지탱되었다. 그들의 명분은 과거나 현재나 '경제', 즉 자신의 이익을 지키기 위해서였고, 필요하다면 '피'를 버리고 '돈'을 택할 준비가 되어 있었다.

오늘 1965년 한일 체제, 1951년 미일 체제, 더 거슬러 올라가 1910년 미·일·영 등 열강 주도 지배체제를 뒤흔든 것은 한국의 민주화였다. 문재인 정부의 힘도 여기서 나온 것이다. 그러나 아베와 일본의 보수세력, 그리고 한국 내 친일·친미 세력은 민주화로 인해 변화된 한국의 위상을 보지 못하거나 애써 무시한다. 아베의 반도체 수출규제는 일본이 마음먹으면 한국한테 치명상을 입힐 수 있다는 것을 보여주었으나 그 피해가 한국에 그치지 않고 국제무역체제를 흔들 수 있다는 사실도 드러냈다.

그래서 오늘의 한일 관계는 제국주의와 식민지 간의 풀기 어려운 숙제를 들추어냈고, 한국은 그 최전선에 나섰다. 한국 단독으로 이 문제를 풀 수 있나? 없다. 부품 소재 국산화하겠다고 규제완화하고 특별연장근로 실시해서 기업 경쟁력 키워주면 일본을 이길 수 있나? 없다.

이 싸움에서 한일 어느 한쪽이 완벽하게 승리할 수는 없다. 한국으로서는 남북화해와 한반도의 평화가 실마리를 풀 수 있는 전제다. 대기업의 시장 약탈이 시정되어야 독자적인 기술 축적이 가능하고, 서민대중의 '애국심'이 발휘될 것이다.

한국의 민주화가 1965년, 1951년, 더 나아가 1910년 체제를 뒤흔들고 있듯이, 한일 관계에서도 민주주의·복지 선진국이 '조용한' 승리자가 될 것이다.

2019-07-30

두 국가 체제를 거쳐 영세중립국으로

지금 온 세계가 한반도를 주목한다. 남북한 전쟁 상태가 종식되는 화해와 평화의 길이 어렴풋이 보인다. 70년 적대와 갈등을 끝내려는 숨막히는 순간이다. 이런 기회는 쉽게 오지 않으므로 물이 들어왔을 때 조심스럽게 노를 저어야 한다. 그동안 한국은 한반도 문제의 주인 노릇을 거의 할 수 없었다. 그러나 이제 문재인 대통령의 '운전자론'이 조금씩 현실화하고 있다.

남북 관계는 그리 단순하지 않다. 우리가 흔히 분단체제라고 부르는 한반도 문제는 실제로는 분단/전쟁 체제이고 여기에는 식민지 청산(탈식민), 종전, 분단 극복, 통일, 동북아 평화 등의 문제가 복잡하게 얽혀 있다. 남북 분단이 과거 동서독처럼 단순히 이념 대립 때문이라고 보면 북한이 붕괴하거나 전쟁으로 이 상황을 끝낼 수 있다. 미국과 대부분의 서구 사람들이나 한국의 냉전 보수세력은 그렇게 기대하고 주장해왔다. 그러나 틀렸다. 그리고 가능하지도 않다.

한반도 분단은 일제 식민지 체제의 극복(즉, 자주독립국가 수립)이 제대로 이뤄지지 않았음을 의미한다. 지구적 탈냉전, 90년대의 심각한 경제위기와 기근을 겪고도 북한이 붕괴하지 않은 중요한 이유는 한국전쟁에서 미국에 맞서 체제를 지켰다는 기억과 민족주의의 힘 때문이다.

남북은 피비린내나는 3년간의 동족상잔의 전쟁을 겪었고, 그 이후 70년 가까이 (준)전쟁 상태에 있었다. 그래서 정전체제의 종식이 남북의 소모적 대결을 끝내는 첫 단계다. 그런데 한국전쟁은 남북 간의 전쟁이 아니라 미·중이 개입한 국제전이었기 때문에 종전, 더 나아가 남북화해와 평화 문제는 미·중이 가장 중요한 당사자다.

종전도 엄청난 진전이지만, 그렇다고 종전이 곧 평화를 보장해주지는 않는다. 종전이 한반도 평화질서 수립으로 가기 위해서는 북미 수교가 필요하고 남·북·미·중 4자와 더불어 일본과 러시아까지 포함한 동북아평화협정이 필요하다.

그런데 동북아평화협정이 맺어진다고 해서 그것이 항구적 평화나 한반도 분단의 극복 혹은 통일을 의미하는 것은 아니다. 남북이 6·25 전쟁 이전으로 돌아간다 해도 48년에 수립된 적대적 두 분단국가 상태는 남는다. 그리고 남북한에는 과거의 베트남이나 독일과 달리 분단이 70년이나 지속되면서 이미 확고하게 다른 정치경제 체제가 정착했고, 상호 적대의식이 교육이나 미디어를 통해 국민들 마음에 매우 강하게 뿌리내려 있다. 즉 분단의 극복은 곧 각 체제 내부의 일제 식민지, 분단 잔재의 극복을 수반할 것이다.

그러나 분단 극복이 곧 통일은 아니다. 성급한 통합·통일은 훨씬 심각한 갈등, 심지어 내전의 위험도 안고 있다. 그래서 경제교류, 이산가족 상봉은 지속하되, 서로의 경계는 닫아두는 것이 좋다. 화이부동의 정신으로 한반도에 두 국가 체제를 유지하면서 군비를 축소하고 교류하는 일, 대외적으로는 한반도의 항구적 평화를 정착시키는 일을 동시에 수행해야 한다. 평화와 통일은 분리된 과제이며, 별도의 프로세스를 필요로 한다. 그리고 두 국가는 각자 21세기 조건에 맞는 이상적인 사회경제 체제를 건설하기 위한 모색을 해야 한다.

그런데 한반도는 그 지정학적 특성 때문에 주변 강대국 간의 패권 경쟁이 격심해지면 그것에 휘말릴 가능성이 있고, 국내 정치세력들이 주변 강대국과 손을 잡고 내전의 소용돌이로 몰아갈 가능성도 있다. 그래서 두 국가 체제의 공존, 한 국가 두 체제의 길을 모색함과 동시에, 주변국과 국제사회에 영세중립국으로서의 지위 보장을 받아내는 문제도 검토해야 한다. 조선 말 영세중립국화 시도, 4·19 직후 지식인들과 이후 김대중 대통령이 생각했던 중립화론은 그냥 구상으로 그쳤지만, 앞으로는 불가능한 이상으로 남지 않을 수도 있다. 미국의 카터 대통령도 이런 대안을 거론한 적이 있고, 중국도 반대할 이유가 없다. 물론 미·중을 만족시키는 것이 관건이다.

어쩌면 가장 큰 걸림돌은 한국 내의 심각한 정치적 대립일지 모른다. 70년 동안의 분단유지 비용, 한국전쟁의 희생에 대한 집단적 되새김질이 필요하다. 평화와 통일이 왜 필요한지, 어떤 평화, 어떤 통일이어야 하는지에 대한 국민적 합의를 모으는 과정이 시작되어야 한다. 학교와 사회에서 평화·통일교육이 전면화되어야 한다.

2018-04-24

시위보다 정치, 정치보다 정책

평창겨울올림픽의 감동적인 여러 장면들, 남북 교류의 훈풍은 한반도의 평화와 통일도 우리의 힘으로 이뤄낼 수 있다는 자신감을 갖게 해주었다. 그러나 축제가 끝나고 외국인들이 자기 나라로 돌아간 지금, 우리는 차가운 일상을 다시 마주한다.

경제지표가 호전되었다는 소식이 들리지만, 청년들은 여전히 실업, 주거불안 그리고 기성질서의 벽 앞에 우울하다. 한국지엠GM의 폐업 협박과 트럼프의 무역보복 압박에 온 국민은 불안하다. 2016년 추운 겨울 차가운 아스팔트 위에서 박근혜 탄핵을 외친 1,700만명의 시민이 문재인 정부를 탄생시켰고, 이 정부가 변화의 희망을 주고 있지만, 그 두 배인 3천만명이

거리로 나온다 해도 청년실업·양극화·주거빈곤 문제를 해결하기는 쉽지 않을 것이다.

혁명의 열정과 축제의 환희는 순간이지만, 현실 권력관계, 법과 제도는 피할 수 없는 엄혹한 일상으로 남아 있다. 재벌 총수의 반사회적인 범죄는 범죄가 아니라는 판사, 이 정부가 하는 모든 일에 '색깔'을 씌우는 제1야당, 국민을 '개돼지'라 생각하는 고위관료들이 다스리는 나라는 시위만으로 변하지는 않을 것이다.

제도정치의 변화가 절실하다. 실업 청년, 기업 구조조정의 피해자, 주거빈곤 시민들의 고통을 가장 민감하게 받아들이는 사람들로 국회가 채워져야 한다. 그 과정을 통해 시위는 권력 변화로 반드시 연결되어야 한다. 그러나 제도정치는 선거공학에 따라 움직이는 경향이 있기 때문에 정치가나 정당들도 표를 얻을 수 있는 일에 기울어지기 쉽다. 즉 정권이 힘을 가져도 정작 구조적 과제는 뒤로 제쳐놓을 가능성이 크다. 그리고 정당과 정치가들의 의지나 힘이 있어도 그것이 비전, 정확한 현실인식, 그리고 정교한 방법론에 기초하지 않으면 애초의 의지와는 반대의 결과를 낼 수도 있다.

그래서 정책 기반이 없는 정치는 매우 위험하다. 정책은 정치에 크게 좌우되지만 그 이상의 것, 즉 '국가의 일'이다. 저출산·고령화 대비, 대학교육, 자살방지 정책 등 사회정책의 예를 보면, 비교적 정치성이 약한 정책들에 지난 20여년 동안 수백조원의 예산을 지출하고도 상황을 더 나쁘게 만든 사실이 있다. 차라리 4대강에 수십조 돈을 퍼붓는 과정에 협조한 공무원이나 전문가를 문책하는 것은 쉽다. 그러나 사회경제 사안은 원인도 매우 복잡하기 때문에 특정 개인에게 책임을 묻기도 쉽지 않다. 이렇듯 장차 국가의 운영을 좌우하는 복잡하고 중요한 사안을 처리하는 능력이 곧 국가 능력이다.

즉 정책이 정치보다 중요한 이유는 정책 수립의 근거가 되는 국가의 자료가 정리·축적되는 시스템이 있어야 하며, 그것에 기초해 정책을 수립할 공공심 있는 전문가가 있어야 하기 때문이다. 자료 인프라가 구축되고 공공심 있는 전문가가 길러지기 위해서는 오랜 '축적의 시간'이 필요하고, 교육이 바로 서야 한다. 정치가가 곧 정책전문가면 가장 좋지만 그럴 가능성이 크지 않기 때문에 이런 집단은 별도로 육성되어야 한다.

촛불시위를 비롯한 지난 시절 한국의 대중 저항은 민주화의 동력이었다. 그러나 저항운동이 곧 문제 해결 의지를 갖는 정치세력과 정책 대안을 만들어낼 수는 없었다. 기존 국가관료, 학자 등 전문가들은 부패하고 무책임했으며, 창의성과 전문성에서도 큰 결함이 있었다. 그래서 대중의 저항은 대체로 최종 책임 주체인 정권에 대한 실망으로 귀결되었다.

수입한 기술과 이론에 의존해서 한국이 이만큼 온 것도 위대한 일이다. 그러나 이제 한국은 한 단계 질적인 변화를 감행해야 한다. 그것은 바로 사회경제 정책 인프라 구축이다. 현재와 같은 취약한 정책 인프라 상황에서는 불평등, 고령화, 탈산업화, 지구 온난화, 동아시아 안보 불안이라는 엄청난 내외적인 도전에 맞설 수 없다. 정권의 선한 의지만으로 이 복잡하고 도전적인 과제를 해결할 수는 없다. 과거 두 민주정부의 경험, 정부 부처, 국책연구소, 대학, 민간의 정책 인프라, 지식생산 실태에 대한 총체적인 점검이 시급하다.

외교안보도 그렇지만 사회경제 정책은 외국의 것을 수입, 가공해서 사용할 수 없다. 그것은 반드시 한국의 역사, 국내의 자료를 동원해서 독자적 이론, 즉 창의적인 '개념수립' 능력을 갖춘 전문가가 있어야 가능하다.

2018-02-27

교육,
욕망과 싸우면
진다

2018년 3월부터 초등 1~2학년 방과후 영어수업이 금지된다. 유치원·어린이집 영어교육도 금지하려 했으나 학부모들의 반발로 1년 유예했다. 초등 1~2학년 영어수업 금지는 2014년 3월 제정된 공교육정상화법에 따른 것으로, 2018년 2월로 유예기간이 만료됨에 따라 본격 적용된다고 한다. 그러나 금지 조치를 철회해달라는 학부모들의 요청이 청와대 청원방에 빗발친다. 당장 영어 강사들이 실직하게 되고, 오히려 사교육 부담만 늘어날 것이라는 우려가 제기된다.*

이명박 정부에서 영어 몰입교육이 강조되고, 그에 앞서 세

* 초등학교 1,2학년 방과후 영어수업은 1년 만인 2019년에 허용되었음.

계화의 붐이 일기 시작하던 1995년 6차 교육과정에서 초등 영어교육이 시작되었으니, 이 정부가 과거의 모든 유산을 짊어지게 된 셈이다. 영어 조기교육이 좋지 않다는 학자들의 비판도 충분히 제기되었고, 공교육 과정에 사교육의 요구를 끌어들이는 것이 맞지 않는 것도 사실이다. 그런데 이번 일은 지난 20여년간, 특히 참여정부의 교육 공공성 강화를 위한 3불 정책(기여입학 · 고교서열화 · 본고사 금지), 즉 '금지' 기조의 정책과 대학 및 학부모들 간의 숨바꼭질이 다시 생각나서 매우 걱정스럽다.

한국에서 교육열은 활활 타오르는 용광로와 같은 욕망의 덩어리이자 벼랑에서 떨어지지 않으려는 필사의 몸부림이며 그 어떤 것도 녹여낼 힘을 갖고 있다. 학부모의 욕망은 대입, 즉 학벌 문제로 집약된다. 교육정책에 관한 그 어떤 이상과 가치도 이 욕망 앞에서는 '현실'을 모르는 고상한 담론이 되었으며, 그 어떤 입시제도의 변경도 애초의 이상이나 목표를 달성한 적이 없다. 그 이유는 한국에서 교육은 '교육'이 아니라 사회적 지위 획득, 계층 이동, 그리고 일자리 문제이기 때문이다. 교육의 현장은 자식을 '노동자'가 아닌 '사'자 직업 혹은 관리자가 되게 하거나 세상에서 업신여김당하지 않고 살게 하고픈 학부모들의 전쟁터다. 교육은 곧 정치다.

지난 김대중·노무현 두 정부의 교육 '공공성'의 이상과 가치는 '수월성과 경쟁력'의 담론 앞에 크게 흔들렸고, 이 거대한 '수요자'들의 욕망 앞에 결국 무너졌다. 혁신학교 확대 등 약간의 진전이 없는 것은 아니지만, 그사이 '금수저'들의 명문대 싹쓸이를 통한 부와 지위의 대물림 현상은 더 공고해졌고, 사교육비 부담은 더 늘어났으며, 학교는 더 황폐해졌고 학부모의 절망은 더 커졌다. 고교 학점제 실시 등 이 정부의 시도는 좋지만 '대입'이라는 거대한 장벽 앞에서 그것은 격화소양隔靴搔癢(신발 신고 발 긁기)에 그칠 것이다.

모든 입사시험에 영어성적을 필수로 만들어놓고 초등 영어교육 금지란 얼마나 가당치 않은 대안인가? '대학 간판' 외의 어떤 사회적 평가 기준도 없는 상태에서 사교육 선행학습을 금지하고 특목고·자사고를 없애자는 것이 그 얼마나 무력한 대안인가? 심각한 학벌 차별 구조를 그대로 두고 대학 서열화를 완화하자는 것이 그 얼마나 가망없는 이상인가? 저학력 노동자들이 매일 산재사고로 죽어나가는 것을 목격하는 아이들에게 '대학이 전부가 아니다'라는 '진보' 인사들의 주장은 얼마나 먼 나라 이야기인가?

욕망은 원래부터 존재하는 것이 아니라 법과 제도, 정확히 말하면 권력구조의 산물이다. 욕망과 정면으로 맞서지 말고 냉각시키고 물길을 터주어야 한다. 사회정책 관련 제도는 모든 것이 서로 얽혀 있기 때문에 하나만 떼어내서 시행하면 문제가 해결되지 않는다. 모든 관련 제도의 묶음은 치밀한 준비를 거쳐 동시에 추진되어야 하고, 확고한 비전과 로드맵이 있어야 하며, "이 길을 따라가면 이런 결과가 나올 수 있다"는 것을 보여줄 수 있어야 한다. 비전과 제도개혁의 묶음이 동시에 제시되지 않으면 관료들은 관행대로 할 것이고, 학부모들은 대혼란에 빠져 정부를 원망할 것이다.

모든 '금지' 정책은 임시처방이다. 대입제도에는 결코 답이 없다. 대학개혁의 전망을 먼저 제시해야 하고, 대학개혁은 반드시 노동시장 개편, 즉 임금격차 축소와 새 인력 양성 문제와 결합되어야 한다. 이것을 동시에 추진할 비전이 아직 준비되어 있지 않다면, 우선 교사들을 행정에서 떼어내 '교육'만 전담토록 하고, 학교에서 소외된 아이들에게 희망을 주는 제반 지원을 해야 한다. 그러면 개혁의 동력이 아래로부터 형성될 것이다.

2018-01-30

기업국가를
넘어서
사회국가로

이언주 의원은 "밥하는 아줌마가 왜 정규직이 되어야 하는 거냐?"고 말해서 큰 파문을 일으켰다. 단순노동을 비하하는 그의 평소 생각이 드러난 것이지만, 비정규직의 정규직화 움직임에 부담을 느낀 기업 쪽의 거부감을 집약한 것으로 볼 수 있을 것이다. 중소기업과 소상공인들은 2018년 최저임금 인상안에 반대하면서 최저임금위원회 참여를 거부했다. 노동자들에게 월 200만원 주고서는 버틸 수 없다는 것이다. 한편 얼마 전 문재인 정부의 자사고 폐지 정책에 반대해서 자사고 학부모들은 "국가 경쟁력 강화를 위해서는 인재육성이 필요하다"며 자사고 폐지 반대 시위를 했다.

문재인 정부의 비정규직 보호, 교육 공공성 강화 정책에 대한 이해 관련자들의 반발이 점차 행동으로 나타나고 있다. 충분히 예상했던 일이다. 대기업들의 양보가 전제되지 않는 노동보호 정책은 그동안 저임금으로 버텨온 중소기업·소상공인들을 위태롭게 할 것이고, 자사고 폐지 정책은 자녀의 대입 성공에 사활을 건 자사고 학부모들을 혼란에 빠뜨릴 것이다. 그러나 이런 항의의 배후에는 기업의 경쟁력이 국가 경쟁력이며, 소수의 인재가 다수의 단순 노동자를 먹여 살린다는 경영의 관점, '경영자는 소비자의 요구에 응답할 뿐'이라는 소비자 주권론이 깊이 깔려 있다.

이런 반발과 집단행동을 통해서 우리는 문재인 정부가 대기업, 자유한국당 그리고 보수언론이라는 명백한 반대세력뿐만 아니라 경영자/소비자의 관점이 내면화된 한국 시민사회의 기층과도 맞서야 한다는 사실을 새삼 확인할 수 있다. 그것은 외환위기 이후 지난 20여년 동안, 아니 1960년대 이후 지금까지 우리 사회 구성원의 의식 속에 깊이 뿌리내린 능력주의, 경쟁력 지상주의, 승자독식의 문화를 넘어서는 힘겨운 일이다.

김대중 대통령을 그리워하는 사람들은 이제 문재인 정부가 다시 남북화해 정책에 시동을 거는 것을 보고 환호하고 있고, 노무현 대통령의 '못다 이룬 꿈'에 슬퍼하는 사람들은 문재인 대통령의 검찰·국정원 개혁 의지에 큰 기대를 걸고 있다. 나 역시 같은 생각이다. 그러나 생각해보면 김대중·노무현 두 정부도 노동을 비용의 관점에서 보는 경영자주의 관점, 자율성과 다양성이라는 소비자주의 입장 위에 서서 노동·교육 정책을 폈다. 두 대통령의 정치적 민주화 의지에도 불구하고 지구적 신자유주의의 파고에 맞서기는 힘겨웠던 것이다.

이것이 바로 이명박·박근혜 정부가 큰 적폐에도 불구하고 사회경제적 측면에서 앞의 두 민주정부와 연속성이 있는 이유다. 내 식으로 말하면, 지난 20년은 온 사회의 기업화, 즉 기업국가의 시대였다. 지난 20년 동안 한국은 재벌대기업과 경제관료들이 편 논리와 사고방식, 문화가 국가기관, 언론, 대학, 교회, 가정뿐 아니라, 국민 대다수의 일상과 행동을 지배했다. 그 결과 온 국민은 자기개발 경영자가 되었고, 도시 중산층은 부동산투자 기획자가 되었으며, 사회구성원은 주권적 시민이 아닌 소비 주체가 되었고, 인문사회계 대학생은 경영학과 학생을 선망하게 되었다.

촛불행동은 바로 국민들이 자기개발 경영자, 주식투자자 그리고 소비자로서의 정체성을 되돌아본 국민 재교육 과정이었다고 볼 수 있다. 이렇게 보면 문재인 정부는 민주정부 3기가 아니라 제2의 민주화를 시작하는 정부가 되어야 한다. 제2의 민주화, 그것은 기업국가·경영국가에서 벗어나는 것이고, 노동을 단기적 비용이 아니라 사회적 주체의 관점에서 자리매김하는 일이다. 사회적 잉여로 분류되는 단순노동자나 학력부진 학생들에게 자신감과 능력을 부여해서 당당한 사회적 주체로 만들지 않는 한 사회통합은 물론 경제 활성화도 어렵다는 생각에 도달하는 데 우리는 20년의 세월이 필요했다. 그것은 숙련형성보다는 임금인상과 기업복지에 치중했던 조직노동에 반성을 촉구하는 일이기도 하다.

지금은 당장의 이해 조정, 정책적 궤도 수정보다 훨씬 더 근본적인 정책전환과 국가 비전이 필요한 때다. 이 정부는 '기업의 국가'를 모두의 국가, 즉 사회적 국가로 변화시키려는 큰 그림을 갖고서 이익집단을 설득하고 양보를 이끌어내야 한다.

2017-07-11

세종시에 사회과학원을 설립하자

촛불시위와 대선, 문재인 대통령 당선 이후 한국 사회는 큰 전환기에 섰다. 국가의 미래를 위해서 해야 할 일이 수없이 많지만, 그중에서 빼놓을 수 없는 것이 교육정책 즉, 국가의 미래를 위한 고급인력 양성과 장기 국가발전 전망 수립이다. 그런데 교육정책이라 하면 우리는 언제나 대학입시 개편을 떠올리지만 정작 중요한 것은 국가나 사회의 지력智力, 즉 학문생산 능력이다. 지력은 국제 대학랭킹에서 국내 대학들의 순위, 혹은 교수들의 영어논문 편수에 달려 있는 것이 아니라 대학이 국가와 사회가 필요로 하는 지식을 얼마나 생산해낼 수 있는가, 인류의 미래를 위한 대안을 제시할 수 있는가의 문제다.

2011년 봄 유네스코와 국제사회과학협의회가 공동으로 『세계 사회과학보고서』를 발간했는데 이 보고서 집필에 한국 사회과학계를 대표하는 학자가 단 한 명도 참여하지 못한 것은 물론이고, 한국보다 학문적으로는 뒤처졌다고 생각했던 '아프리카, 동남아시아, 중국 및 라틴아메리카' 학자들이 상당수 참여했다는 사실이 한국 사회에 큰 충격을 주었다.

미국 내 유학생 수에서 한국 학생은 전체 3위이지만, 인구 대비로 보면 압도적 1위다. 세계 모든 나라가 미국 학술시장의 영향권 아래 있는 것은 사실이나, 수십년째 교수나 박사 연구자를 거의 미국 대학에서 공급받는 나라는 한국뿐이다. 서울의 상위권 대학 사회과학 분야에서 미국 박사의 비율은 80% 이상이며, 경제학 교수의 95% 이상이 미국 박사다. 타계한 미국 매사추세츠공대MIT 경제학자 암스덴A. Amsden은 한국만큼 재벌대기업 문제가 중요한 나라가 없는데, 한국에 대기업 연구자가 드문 것은 정말 이해할 수 없다고 질타한 적이 있다. 다른 중요 분야도 마찬가지다. 미국의 대학원은 한국 학생들에게 그런 것을 가르쳐줄 리 없기 때문일 것이다.

뭐가 잘못된 것일까? 대학의 기능은 학문과 교육인데, 지금까지 한국에서 국민들의 입신출세, 지위추구 열망에 부응하는 학부 중심의 대입정책은 넘쳐났어도 국가의 미래를 위한 학문정책은 없었다. 대학원, 특히 박사과정 육성은 언제나 무시되었다. 우리가 알고 있는 전세계의 유명 대학은 거의 대학원

대학이지만 한국의 상위권 대학은 기본적으로 학부대학이며, 특히 사회과학 분야 박사과정은 거의 텅 비어 있다. 배울 학문적 내용과 학위취득 후 취업 가능성이 있어야 하는데, 둘 다 부정적이다. "학부는 한국에서, 박사는 미국에서" "이론은 중심부에서, 적용은 현지에서." 식민지 지식순환 체계의 전형적인 모습이다.

서울대나 주요대학 학부 정원을 축소하고 박사과정을 내실화하자는 요구는 지난 20여년 동안 수없이 제기되었다. 한국연구재단의 연구소 지원사업, 특히 국내 인문사회계 박사과정 학생 지원도 이런 취지에서 출발했다. 그러나 실질적으로 변화된 것은 거의 없다. 주요대학이 학부대학의 기득권을 포기하고 스스로 연구 중심, 대학원대학으로 변신을 시도하면 가장 좋을 것이지만, 지금까지 그 대학들의 이력으로 봐서는 그럴 가능성이 크지 않다.

그래서 나는 지식의 만성적인 외국 의존, 서울 주요대학의 국내 지위독점 구조를 극복하고, 한국의 정치·사회에서 제기되는 문제의식을 가진 사회과학 박사를 양성하기 위해서 국가 사회과학원을 설립해야 한다고 생각한다. 서울의 단극적인 지식권력 독점구조를 다극화하고, 지방 국립대학들의 사회과학 연구의 허브 기능까지 수행하려면 세종시가 최적지일 것 같다. 세종시에 입주한 정부기관과 국책연구원의 정책 의제를 수용하고 지방 국립대학과 교수·연구 네트워크를 구축하면 큰 시너지 효과가 발휘될 것이다.

한 나라의 수준은 대학, 아니 대학원과 지식생산 능력에 달려 있다. 국가가 자체 사회과학 박사를 양성할 수 없다는 말은 아직 국가의 장기정책이 없다는 말과 같다. 인문학이나 자연과학과 달리 사회과학은 현장성, 문제의식, 역사성, 그리고 정치·사회적 적용 가능성에 기초하되 보편성을 지향한다. 사회과학자들의 국제적인 교류는 더 활성화되어야 하고, 국내 박사과정생도 더 국제적 수준에 도달할 수 있는 역량을 길러야 하지만, 중요한 것은 사회과학의 독자성과 독창성을 키우고 박사 양성의 기반을 마련하는 것이다. '학문'에 뜻을 둔 청년들이 '교수'가 되기 위해 미국에 갔다 와서 한국을 이론 적용의 대상으로 삼는 일은 이제 끝나야 한다.

2017-06-13

국가 사회정책위원회가 필요하다

외환위기가 터진 지 20년이 되었다. 그동안 정치는 두 번의 '진보개혁' 정부 그리고 두 번의 보수정부로 회귀하는 등 시소를 타고 오르내렸다. 박근혜 씨가 촛불의 압력으로 대통령직에서 중도하차한 지금, 그 어느 때보다 시소가 위로 힘차게 올라가고 있다. 그런데 청소년과 청년들도 시소를 타고 올라간다고 느낄까?

지난 20년 동안 정치는 시소처럼 오르내렸는지 모르나, 교육·노동·인권 영역은 거의 변하지 않았거나 오히려 더 나빠졌다. 김대중·노무현 정부에서 조금 좋아졌다가 그후 9년 동안 나빠진 것이 아니다. 외환위기 직후에는 실직한 가장들이 자살하는 일은 많았어도 지금처럼 콜센터 실습중인 학생이 자살하거나, 구의역에서 일하던 19살 청년 노동자가 전동차에 끼여 죽는 일은 없었다.

지금 세계는 1% 부자들이 99%를 약탈하는 세상이라고들 한다. 그러나 유독 한국은 자라나는 청(소)년들에게 가혹한데 이것은 바로 비인간적인 교육과 살인적인 노동현장이 하나로 얽혀서 서로를 강화하기 때문이다. 한국의 과도한 입시 만능 교육은 노동자의 무권리 상태와 사회적 연대감 해체의 다른 표현이다. 학교의 입시학원화는 노동시장의 극심한 차별과 불안정, 취업 절벽이 다른 방식으로 드러난 것이다. 상위 10% 노동자들이 임금이나 직업 안정성에서 특권적 지위를 얻고, 나머지 90%가 불안한 저임노동에서 벗어날 수 없다면 노동현장의 위험과 폭력은 여전히 감내해야 할 숙명이 될 것이다. 그리하여 자녀를 상위 10%의 직장에 밀어넣을 수 있다면, 학부모들은 노후 복지를 희생하고서라도 자녀 교육 출혈 전쟁을 마다하지 않을 것이다.

그래서 입시 과열은 반[反]노동, 사회안전망 부재라는 현실과 하나의 고리로 연결되어 있다. 그것은 약자가 노조나 정치적 대표체를 통해 권익을 보장받을 수 없는 사회에서 나타나는 현상이다. 구의역에서 사망한 청년은 144만원 수입 중 100만원을 저축하며 대학 진학을 꿈꾸었다고 한다. 대학을 위해 목숨을 걸고 일터에 나간 셈이다. 이제 스카이[SKY] 대학은 거의 부유한 가정 출신자들로 채워지지만 그들조차 안정된 직업을 얻을 수 없는 세상이 되었다. 그럼에도 불안하고 비인간적인 노동현장을 피할 수 있는 길은 명문대 학벌, 공무원 합격밖에 없음을 이 시대는 부정하지 못한다.

과거 비정규직을 희생시키고 고임금을 얻은 조직 노동자들이 이런 결과를 만들었다는 비판이 있다. 부분적으로 맞는 말이지만, 내 식으로 표현하면 노동 문제를 교육·복지·재벌 문제와 한 세트로 보지 못하게 만든 기업노조주의에 근본적인 원인이 있다. 노동계의 책임이 2라면, 단기 이윤 확보에만 매진해온 재벌대기업, 교육과 노동을 경제의 부속품 정도로만 보는 경제관료, 국가의 장기적 정책에 무관심한 야당에 8의 책임이 있다.

비정규직 사용제한, 임금격차 축소, 노동시간 단축, 노조조직률 제고[提高] 등 노동의 절망을 해소하자는 대선 후보의 공약은 막상 정책을 시행하려 하면 대기업 경제 논리의 반격에 부딪힐 것이다. 한편 학교교육 정상화, 학벌주의 극복 등 교육 관련 정책안도 노동현장의 차별 해소, 일터의 민주화와 노동의 자력화를 수반해야 해결의 길로 갈 수 있을 것이다. 임금을 적게 받더라도 고용의 안정성이 좀더 높아진다면, 그리고 인위적 위험을 막아주는 사회적 안전망이 더 확충된다면, 청소년과 청년들은 희망을 가져볼 수 있다. 지금처럼 일자리와 주거불안에 시달리는 청년들에게 결혼과 출산은 언감생심이다.

지금 우리는 87년이 성취한 반쪽의 민주화를 넘어서야 한다. 그러나 오늘의 시대적 요구는 더 심층적이고 엄중해서, 한국은 사실 8·15 해방 시점과 맞먹을 정도의 체제 전환의 국면에 놓여 있다. 대선 후보들은 표 얻기 위한 공약에 매달리거나 지엽적 문제로 싸울 것이 아니라 노동 차별과 입시 과열이라는 '생존 전쟁' 체제를 넘어서서, 기회가 열려 있고 '고루 잘 사는 사회'를 어떻게 만들 것인지 방안을 제시해야 한다. 그것은 촛불시민의 능동성을 동원하지 않고서는 불가능하다.

사회정책은 하나의 세트로 묶여 있다. 그래서 각각을 떼어서 해결할 수 없고, 긴 호흡이 필요하다. 현재와 같은 5년 단임 대통령은 시작하다가 말 가능성이 크다. 장차 국가교육위원회, 아니 국가사회정책위원회가 필요한 이유다.

2017-03-21

문재인 정권의 시대적 과제

장미대선은 박근혜 대통령 탄핵이라는 이례적인 조건에서 치러졌고, 새 정권은 4개월간의 촛불시위라는 세계사에 남을 만한 거대한 시민참여 민주화 요구를 거쳐서 탄생했다. 문재인 대통령도 그의 당선을 촛불의 승리라고 밝혔다. 그래서 대선에서 문재인 대통령에 대한 지지도 역시 비교적 높았고, 국민들은 그와 더불어민주당이 표방했던 정권교체, 적폐청산에 무게를 실어주었다. 당선자 발표와 동시에 집무를 시작해서 준비 기간도 없었지만, 집권 초 진행된 청와대 인선도 대체로 적임자들로 채워진 것 같다.

문재인 대통령은 과거 참여정부 시절 대통령을 보좌하는

권력 핵심에서 수많은 성공과 좌절을 온몸으로 겪었기 때문에 정권을 잡게 되면 무슨 일을 해야 할지에 대해 많은 실전 연습을 했을 것이다. 그렇다면 이 정권의 시대적 과제는 무엇이며 어떻게 완수할 수 있을까? 대통령과 핵심 참모들은 지금 상황을 어떻게 생각하고 있을까?

노무현 대통령은 자신을 새시대의 첫째가 되고 싶었으나 구시대의 막내가 될 수밖에 없었다고 한탄했다. 그렇다면 '구시대'는 노무현 정권이 마무리했는가? 실제 노무현 정권의 뒤를 이은 이명박·박근혜 정권은 구시대를 더 심각하게 연장시켰다. 그래서 노무현의 임무는 다시 문재인 정권으로 넘어왔지만, 10년이 지난 지금 '구시대'와 '새시대'의 내용이 약간 변했고, 문재인 정권은 더이상 구시대의 막내 역할에 머무를 수 없게 되었다.

우선 이명박·박근혜 정권을 겪으면서 구시대가 무엇인지 더 분명해졌다. 그것은 곧 박정희 정권 시기에 정착된 개발독재의 찌꺼기, 즉 재벌체제, 정경유착, 관료주의, 중앙집권, 지역주의, 효율성 만능, 노동배제 등의 법·제도·관행들이다. 물론 개발독재보다 오래된 찌꺼기도 있다. 남북 적대, 색깔론과 이분법, 안보 장사, 미국 의존 외교가 그것이다. 그러나 한국에만 있는 이 두 구시대 찌꺼기들은 김영삼 정부 이후 본격화된 신자유주의 경제 질서라는 국외의 변수와 맞물려서 굴러왔다. 김대중·노무현 두 민주정권은 주로 앞의 한국적 구시대와 결별을 시도하여 상당한 성과도 거두었으나, 이 두 구시대를 대표하는 반공 보수, 개발독재 보수의 거센 반격을 맞았고, 지구적 신자유주의 물결에 압도당했다.

노무현 정권 이후 10년이 지난 지금, 구시대의 힘은 약화되었으나 여전히 건재하다. 구시대는 특권 반칙체제다. 그래서 문재인 정권은 특권을 법과 제도, 국민적 지지를 기반으로 해체해야 한다. 구시대의 마무리는 엄포와 적의, 그리고 칼로 내리누르는 방식이 아니라 특권과 반칙에서 배제된 집단의 목소리와 힘을 키워주는 방식으로 진행되어야 한다.

그런데 새시대의 과제는 훨씬 더 엄중하고 급박하다. 신자유주의가 후퇴한 저성장 시대, 미·중의 패권과 북한의 핵개발 등 더 복잡해진 국외 환경이 변화된 외적 조건이며, 더 커진 재벌의 경제력 집중, 더 심각해진 양극화와 불평등은 변화된 국내 조건이다. 투명·원칙·공정·참여·정의는 여전히 중요한 새시대의 가치이지만, 그것은 더 복잡해진 국내외 세력 간의 역학을 잘 이용하고 동원해야 실현될 수 있다. 즉 새시대를 열기 위해서는 외적으로 미·중을 달래고 남한을 한반도 문제의 주역으로 다시 올려놓아야 하며, 내적으로는 혁신 중소기업, 지역 주민, 새 정치운동, 노조, 협동조합의 역량을 길러야 한다.

구시대를 넘어서지 않고서는 새시대를 열 수 없다. 그러나 구시대의 과제 해결이 곧바로 새시대를 열어주는 것은 아니므로, 구시대 극복에만 매달려서도 안 된다. 새시대의 과제는 변했고, 훨씬 심각해졌으며, 정권 혼자로는 절대로 풀 수 없게 되었다. 촛불시민의 사회세력화가 절실하게 필요하다.

물론 구시대 극복은 새시대를 여는 문제와 분리되어 있지 않다. 개발독재, 재벌체제, 정경유착의 극복은 바로 공정한 사회경제 질서, 더 나아가 평화복지의 정신에 바탕을 둔 새로운 국가, 새로운 사회경제 체제의 건설 문제와 연결되어 있다. 비례대표 확대를 포함한 선거법 개정과 개헌은 바로 새시대로 가는 관문이다.

그래서 이 정권은 구시대의 극복과 새시대를 여는 일을 동시에 해야 하지만, 어느것도 5년 안에 완수하기는 어렵다. 새시대를 준비하는 역할만 충실히 하면 좋겠다.

2017-05-16

구의역 사고, 노동 존중이 답이다

구의역 안전문(스크린도어) 사고에 가장 큰 책임을 지고 있는 박원순 서울시장은 김군의 죽음을 계기로 서울형 노동혁명을 일으키겠다고 말했다. 일단 서울시의 원인규명 작업, 책임자 처벌, 대안을 기대해보지만, 이것은 서울시만이 감당해야 하는 사안이 아니다.

나는 한국의 뿌리 깊은 노동비하 관행, 노동을 오직 비용으로만 보는 이 사회 주류 지배층의 사고방식과 대학을 나와야 인간대접 받을 수 있다는 관행이 깊게 얽혀서 그를 죽게 만들었다고 본다. 그는 라면으로 끼니를 때우며 144만원의 월급 중 100만원을 저축해서 대학에 진학하려 했다. 그가 자신을 죽음에 이르게 할지도 모르는 위험한 노동조건을 감수한 이유는 생활비와 등록금이 필요했고, 메트로 자회사의 정규직 노동자가 될 수 있다는 기대가 있었으며, 대학을 졸업하면 다른 삶을 살 수 있다는 희망이 있었기 때문일 것이다.

민주노총 조합원이었던 그는 고용불안 때문에 피켓시위에도 참여했다. 그러나 그는 노동자의 권리를 집단적으로 제기할 수 없었고, 임금인상도 요구할 수 없었으며, 생명의 위협을 느껴도 작업중지권을 행사할 수 없었다. 손에 공구를 들지 않는 아버지 세대 메트로 출신 간부나 정규직 직원은 400만원의 월급을 챙겨도 자신은 거의 최저임금 수준의 월급밖에 받지 못하면서 밥 먹을 시간도 없이 이 역 저 역 미친 듯이 뛰어다니면서 '노오력'해야 했다.

그가 살았다면 1년짜리 계약은 갱신되었을지 모르지만, 과연 정규직의 희망이 실현될 수 있었을까? 정규직 노동자가 되면 과연 행복을 누릴 수 있었을까? 열심히 돈을 모아 대학 졸업을 할 수 있었을지 모르지만, 자기소개서를 200번이나 써야 하는 지금의 대졸 백수 청년이 되진 않았을까? 그래도 열아홉 살의 젊디젊은 그는 이 사회가 만든 교육을 통해 정규직도 되고 관리자도 될 수 있다는 기성의 신화를 의문시할 수는 없었다. 그러나 불행히도 그에게 그런 기적은 일어나지 않았다.

노동비하/계층상승이라는 도그마는 이 사회 주류층의 이해관계에서 나온 것이다. 땀 흘려 일하는 사람, 시간제, 위험 작업장 노동자에게 더 많은 임금을 주기보다는 사무실에 앉아 있는 관리자들에게 더 높은 보상과 직업 안정성을 보장하는 것은 자본주의 일반의 특징이 아니라 한국적 관존민비, 노동천시의 관행이고, 그 최대 수혜자들은 관료와 기업가들이다. 공기업 비용절감, 경영효율을 거의 폭력적으로 강제하면서도 자신들은 어떤 견제나 감시도 받지 않다가 퇴직 후에는 공기업에 한자리 차고앉은 이 나라 고학력 관료들의 특권과 부패, 언론과 지식인들의 반복되는 도그마 유포 역시 이해관계와 무관하지 않다. 기업이 위기에 처하면 경영자를 문책하는 대신 노동자부터 자르는 일은 한국식 신자유주의의 가장 퇴영적인 사례다.

메트로 노조는 자신의 일자리를 지키기 위해 주요 업무를 아웃소싱하면서 자식 같은 청년들이 저임금과 위험에 노출되는 상황을 모르는 체했다. 시민들은 자신이 비용을 더 부담하지 않는다면 누군가가 목숨을 바쳐야 한다는 사실을 몰랐다. 또한 노동자의 파업을 죄악시하는 언론에 박수를 친 자신들 때문에 청년들이 저임금의 위험한 노동을 감수하면서 대학 진학에 목숨을 건다는 사실을 알지 못했다.

당시의 메트로 예산 범위 내에서도 김군은 250만원의 월급을 받을 수 있었고, 노조와 시민사회의 감시권이 있었다면 2인 1조의 작업팀에서 일하면서 최소한 생명을 보장받을 수 있었을 것이다. 한국만큼이나 노동자 권리가 약한 일본도 시간제나 비정규직에게는 돈을 더 얹어준다. 배관공이 교수보다 월급을 더 많이 받고, 고졸자와 대졸자의 임금격차를 더 줄일 수 있다면, 그리고 학교에서 아이들에게 노동 존중과 노동권의 개념을 가르칠 수 있다면, 김군은 정비공으로서 자부심을 갖고 살면서 그렇게 무리하게 일하지 않아도 되었을 것이다.

2016-06-14

개념의 부재가 진정한 국가위기다

『축적의 시간』(지식노마드 2015)에서 서울대 공대 교수들은 한국 산업기술의 위기가 '축적된 경험'에 기초한 '개념설계 역량'이 없는 데 기인한다고 말한다. 즉 한국은 선진국의 개념을 모방·개량해서 성장을 추구한 점에서 성공한 나라라 할 수 있지만, 이제 그런 방식은 통하지 않는다는 것이다. 독자적인 개념설계 역량 없이 선진국이 되기는 어렵다는 주장인 셈이다.

국가나 대기업이 모방·개량이 아닌 독자적인 개념설계 기반을 구축했어야 할 시기는 90년대 중후반이었다. 그러나 한국이 외환위기라는 큰 환란을 맞이한 이후 국가와 대기업은 단기적인 생존과 경쟁력 강화에 더 매달렸다. 그래서 거시 산업정책을 구상하고 개념설계 역량을 구축하여 기술도약을 이루려 하기보다는 조립가공형 산업체질을 유지한 채, 만만한 중소기업과 비정규직을 쥐어짜 비용을 절감하고, 외국인 노동자를 수입하였다.

그 결과 거대한 내수시장 덕분에 빠르게 기술축적을 한 중국에 거의 추월당했으며, 축적된 지식을 가진 서구 국가들과의 거리도 좁히지 못했다. 반도체·조선·자동차 등 몇개 산업, 그리고 10대 재벌대기업에만 온 국가적 부가 집중되었고, 그 이하 모든 기업, 모든 산업, 모든 노동자는 생존이 불가능한 상태에 빠졌다. 국가는 재벌대기업의 연구개발R&D에 막대한 세제 혜택을 주면서 지원하고 있으나, 정작 한국엔 연구Research도, 개발Development도 아닌 디자인Design만 있다는 비판도 있다. 대기업도 독자적인 기술 개발을 위한 장기 연구투자보다는 모방·개량을 하거나 자체 기술을 가진 중소기업을 집어먹는 것이 더 편했는지 모른다.

산업 분야에서 추상적인 개념설계 역량이 약한 이유는 당장의 실적을 요구하는 정부나 기업의 지원 정책과 그에 편승한 교수나 연구자들의 용역 수주 경쟁의 결과라는 지적이 많다. 교육부가 추진해온 '사회수요맞춤형 인재양성'PRIME, Program for Industry Needs Matched Education은 산업의 요구대로 교육을 개편하겠다는 안인데, 대학 인문계 정원을 줄이는 조건으로 지원하겠다는 것이 그 핵심이다. 모든 학부생이 공대생이 되면 취업률이 높아질지도 의심스럽지만, 이 사업은 개념설계, 개념수립을 지향하는 학과나 학문은 없애겠다는 말과도 같기 때문에 더 위험하다.

지금까지 국가나 대학의 이공계나 인문사회계 모두 기본개념은 선진국에서 배운 것을 쓰고, 한국은 모방과 적용에만 치중하자고 유도했다. 2016년 한국의 경제학 박사 1,599명 중 해외박사는 1,162명이고, 서울 주요대학의 경제학과 교수의 거의 전원이 미국 경제학 박사다. 추상적인 이론이나 기본개념은 '대국'이 만든 것을 그대로 사용하고 주변부에서는 그곳에서 만든 지식을 소비하는 전형적인 지식하청 주변부 국가의 모습이다. 선진국이 과연 수백년의 경험적 축적, 자유로운 학문적인 토론, 그리고 장기 투자를 통해 얻는 지식을 '조건 없이' 가르쳐주고 이전시켜주던가.

개념설계 역량 없이는 고부가가치 산업을 창출할 수 없는 것처럼, 독자적인 인문·사회과학 이론과 개념이 없이는 지적·문화적 종속에서 벗어날 수 없는 것은 물론, 문화 콘텐츠의 기반을 고갈시켜 세계의 주도산업인 지식서비스 분야의 후진국으로 남게 될 것이다. 인구 대비 세계 최고의 미국 유학생 수를 자랑하는 한국은 매년 7조원 이상의 돈을 미국 교육기관에 갖다 바친다. 한국의 인문학이 중국문화의 일부로 흡수되고, 사회과학이 미국 발 신자유주의 이론의 모방 가공품으로 남는다면, 한국의 문화·관광·교육의 정체성과 경쟁력은 아예 사라지게 될 것이다.

선진 지식의 학습이나 교류, 그리고 지식의 보편성을 무시해도 좋다는 것이 아니다. 경제력만큼의 독자적인 개념구축 능력을 갖추지 못하는 지식 후진국 한국의 현실을 주목하자는 것이다. 독자적인 개념과 이론, 자기가 서 있는 사회에 대한 깊은 고민에서 나온 자생적 지식 없이는 당장 산업의 위기도 극복할 수 없고, 장기적인 국가 발전도 기약할 수 없다.

2016-05-31

그들의 선거,
우리의
삶

2016년 3월 17일 유성기업 노동자 한광호 씨가 자살했다. 그는 금속노조 활동을 했다는 이유로 회사로부터 11차례 고소를 당했고, 8번 경찰 조사를 받았으며, 3월 14일 회사 측이 3차 징계를 위해 출석을 요구하자 집을 나간 후 주검으로 발견되었다.

최근 공개된 자료에 의하면 원청회사인 현대자동차는 용역회사인 창조컨설팅과 긴밀히 협의하면서 유성기업의 조합원 손해배상 소송, 징계, 노조탈퇴 유도 작업에 관여한 것으로 드러났다. 주무부서인 노동부는 회사 측이 주도하여 설립한 어용노조가 교섭대표 지위를 갖는 것을 묵인하였으며, 검찰은 회사 측의 부당노동행위에 대해서는 단 한 건도 기소하지 않았다고 한다.

현재 유성 금속노조 조합원 반수 이상이 외상후스트레스장애 고위험군으로 분류되어 있는데 이는 직업집단 중 통상 가장 높은 수치를 보이는 소방공무원의 5배 정도에 달한다고 한다. 결국 지난 2011년 이후 유성기업 금속노조 조합원들의 삶은 매일이 '전쟁 상태'였고, 노동부, 검찰, 법원, 언론, 시민사회, 그리고 정치권은 '다른 세상'에 있었다는 것을 알 수 있다.

이제 너무 흔한 일이어서 별로 충격도 주지 않는 한 사람의 자살이라고 생각할 수 있을 것이다. 그러나 최근 대통령소속 국민대통합위의 조사결과를 보면 "한국 사회를 어떤 사회라고 생각하느냐"라는 질문에 35%는 경쟁사회, 18.4%는 양극화사회라고 답을 했고, 평등사회, 공정사회라고 답한 사람은 1%에 지나지 않는 것으로 나타났다. 보고서는 우리 사회의 갈등이 단절·원한·반감·단죄의 감정 등 극단적 트라우마 상태로 빠지고 있다고 설명한다.

한국 사회의 대다수 구성원들은 매우 심각한 우울증, 트라우마 상태에 있다는 보고가 많고, 이것이 11년째 한국이 OECD 자살률 1위의 고공행진중임을 설명해준다. 사회생활에서 극도의 불공정감과 원한, 분노를 갖고 있으나, 개인적으로나 집단적으로 해결할 길이 없다고 생각할 때 사람들은 자살이라는 극단적 선택을 한다. 많은 한국인이 부당한 일을 겪거나 억울한 처지에 있지만 노조, 관청, 정치권에 호소해봐야 문제 해결에 전혀 도움이 되지 않는다고 생각한다.

사실 정치·정당·선거라는 것은 다수 국민의 가장 심각한 고통을 해결하라고 있는 것이다. 그런데 우리 국민 67%는 지지하는 정당이 없다고 말하며, 청년층의 투표참가율도 OECD 최하위권이다. 지역구에서 1등만 당선되는 현행 선거제도에서는 2위 이하의 표는 모두 사표가 되고, 이런 한계를 교정하려고 만든 비례대표 의석수도 전체의 4분의 1이 안 되며, 그 비례의 공천마저도 납득하기 어려운 방식으로 진행되곤 한다.

19대 국회의원 중 정몽준 의원을 뺀 299명의 재산 평균은 28억 4,342만원이다(18대 국회 평균 재산은 26억 4,384만원). 20대 국회의원 선거에서 각 당 비례대표들의 재산 평균은 24억원이라고 한다(새누리당 평균은 41억원, 국민의당은 23억원, 더민주당은 12억원, 지역구 출마자 포함하면 평균 23억원). 2015년 기준 가구주 전체 재산 평균이 2억 8천만원이니까 거대 정당의 비례, 지역 후보들은 평균적인 국민들보다 9배나 부자인 셈이다.

결국 총선에서 어느 당의 누가 당선되더라도 국회는 자산 상위 1% 사람들로 채워질 것이다. 국민의 평균적인 부를 가진 사람들만이 국회의원이 되어야 한다는 말은 아니다. 그러나 상위 1%에 속한 부자 국회의원들은 회사 측으로부터 11번이나 고소를 당하는 일도, 온갖 괴롭힘을 당하는 일도 상상할 수 없을 것이라는 말이다. 그래서 그런가. 거대 여야 정당들의 정책이나 후보자 개인 구호에서도 일터에서의 이런 불공정과 괴롭힘을 시정하겠다는 목소리는 거의 찾을 수 없다.

그래도 최악의 상황을 막기 위해 선거 참여는 해야 할 것이다. 그러나 거대 정당의 정치 독점, 지역의 일상 정치활동 부재, 51% 득표한 1등만 의원이 되고 49%의 표는 사표가 되는 소선거구제, 300석 중 50석도 안 되는 비례대표 의석, 하향식 공천, 그리고 노동자나 영세자영업자 등 경제적 약자의 세력화 등의 과제가 해결되지 않은 상태에서의 선거는 '그들만의 잔치'에 머물 것이다. 선거가 '그들만의 잔치'로 끝나면 사회적 갈등은 해결되지 않을 뿐만 아니라 국가 자체가 걷잡을 수 없는 위기 상태로 빠질 것이다.

2016-04-05

사회통합만이 살 길이다

한국은 갈등공화국이다. 한국의 인구대비 소송 건수는 일본의 4배에 달할 정도로 한국인들은 타협과 양보로 문제를 해결하지 못한다. 한 조사에 의하면 사회갈등은 OECD 27개 국가 중 두번째로 심각하며, 갈등처리 비용도 최저 82조원에서 246조원에 달한다고 한다. 이렇게 사회적 신뢰가 거의 바닥인 나라에서 구성원들이 공공의 이익을 생각하고 국가의 미래를 위해 애쓸 가능성은 크지 않다. 거의 망국적인 상황인 것이다.

이런 가운데서도 가뭄에 단비 같은 소식들이 들린다. 전국금속노동조합 경남지부와 그 업계 사용자들이 실업자·비정규직·영세노동자·이주노동자 등의 교육비 지원과 권리보호, 제도개선을 위해 쓸 사회연대기금을 조성하기로 했다고 한다.

2015년 7월 24일 노조 측은 지부집단교섭에서 이런 안에 합의했고, 계획중이던 파업을 취소한다고 밝혔다. 사회연대기금은 노조 측이 먼저 제안했다고 한다. 노조는 "양극화가 심각해지는 현대 사회에서 경제적 고통을 받는 지역민의 경제적 자립을 돕기 위해 마련한 요구안"이라고 설명했다. 노조가 앞장서서 자신들보다 더 열악한 처지에 있는 실업자나 비정규직 노동자들을 지원하기 위한 기금마련에 나선 일은 정말로 획기적이다.

SK하이닉스는 7일, 임금 인상분의 20%를 협력사 직원의 처우와 안전·보건 환경 개선에 지원하는 '상생협력 임금공유 프로그램'을 시행한다고 밝혔다. 마련된 재원은 하청계열사 직원 4,000여명의 임금 인상, 복리 후생 등 처우 개선에도 사용될 예정이라고 한다. 이 경우는 사측이 먼저 제안했다. 사측은 반도체 산업에서 경쟁력을 확보해 업계의 리더십을 만들어나감과 동시에 대기업·중소기업 상생협력을 위한 모델까지 만들어내자는 취지라고 설명한다. 대기업 노사가 임금 인상분의 일부를 열악한 중소기업에 지원하기로 한 결정은 한국에서는 전례를 찾아보기 어려운 의미 있는 일이다.

광주광역시는 사회협약을 통한 광주형 일자리 창출모델 구축을 지원하기 위해 전남대에 사회통합지원센터를 설치하였다(2015년 5월).* 광주시는 우리 사회의 갈등 해소를 위한 '광주

* 광주형 일자리 사업은 2019년 1월 30일 광주시와 현대차 간 합의안이 의결되고

형 상생 사회·경제적 모델'을 구축할 예정이라고 한다. 또한 노사민정협의회를 열고 일자리 문제뿐만 아니라 공공부문 비정규직 고용, 처우 개선 등도 추진한다고 한다. 지자체 차원에서 관이 주도하여 노조, 시민사회와 함께 지역경제 활성화와 지역의 사회통합을 추진하는 일도 한국에서는 거의 처음인 것 같다.

비록 제안 주체는 각각 다르지만 이 모든 몸부림은 이대로 가다가는 노조나 기업, 그리고 지역사회가 동시에 무너질 것이라는 절박한 위기의식에서 출발한 것 같다. 지금 한국이 겪고 있는 경제위기는 일시적인 것이 아니라 구조적인 것이라는 지적이 많다. 제조업 경쟁력이 추락하고 있고, 소비는 살아나지 않는다. 100만명이 넘는 실업청년들은 자신의 능력과 열정을 발휘할 기회도 얻지 못한 채 거리에서 방황하고 골방에서 좌절하고 있다. 일자리 창출의 기관차인 중소기업이 거의 죽어가고 있고, 영세 상인들은 하루하루를 버티기 어렵다.

이러한 노사의 양보와 타협, 사회통합의 시도는 사실 동료 이해집단으로부터 욕을 먹을 수 있다. 그러나 경제생태계 회복은 물론 사회 건강성 유지를 위해 이외에 다른 길이 없다. 경제는 사회의 일부다. 사회의 인프라인 신뢰, 기술, 청년의 열정이 받쳐주지 못하고, 대다수 노동인구가 비정규직·알바가

31일 협약식이 개최되면서 본격 가동되었다. 기존 완성차업체 임금 절반 수준의 임금을 지급하는 대신 상대적으로 낮은 임금은 정부와 지방자치단체가 복리·후생 비용 지원을 통해 보전한다는 것이 사업의 요지다.

되는데 대기업만 혼자 좋아질 수가 없으며, 좋아지더라도 그런 대기업이나 경제는 국민 대다수의 삶과는 별 관계가 없다. 골목시장의 영세자영업자가 사라지고 노조가 무기력해지면, 기업 측은 이제 장애물이 없어졌다고 좋아할지 모르지만, 물건을 사줄 사람이 없어지니 다음에는 기업이 무너질 것이다.

민주노총, 한국노총 소속 정규직 노조가 더 적극적인 연대의 정신을 발휘해야 한다. 그게 노조가 살 길이다. 동시에 대기업과 고액연봉자들이 더 많이 내놓아야 한다. 임금·성과 공유도 필요하지만, 더 중요한 것은 상대방에 대한 인정이다.

2015-08-04

구조맹에서 벗어나자

「세월호 100일이 지났는데 골목상권은 아직 허덕, 중소기업 정상가동 39%뿐」 이런 제목의 기사가 2014년 8월 4일자 『조선일보』에 떴다. 온 나라가 세월호 문제에 매달려 소비심리가 위축되고 경제가 어려워졌다는 내용이다. 그 직후 안산에서는 상인들이 세월호 현수막을 뜯어냈다. 그들은 장사가 안 되는 것이 세월호 정국 때문이라고 생각했을 것이다. 소비위축이 세월호 정국 때문이 아니라는 것은 구구하게 설명할 필요가 없다. 그런데도 양자 간의 상관관계를 은근히 암시하면서 유족의 목소리를 고립시키고 사건의 책임을 엉뚱한 데로 돌리는 언론 보도와 정치가들의 발언은 계속 이어지고 있다.

나라를 흔드는 큰 사건에서부터 구체적인 사회경제 정책,

그리고 개인적 사건에 이르기까지 사회에서 일어나는 많은 일은 분명히 원인과 책임 소재가 있다. 그러나 대개 여러 가지 원인이 동시에 작용하기 때문에 보통사람들로서는 그 원인들의 경중을 일일이 따져 알기가 쉽지 않다. 정부나 기업이 정보를 공개하지 않고, 정부기관이나 법원이 증거들을 편향적으로 선택하면 아예 원인 규명이 불가능해지기도 한다. 예를 들어 삼성 반도체에 근무했던 20대 초반의 여성 노동자들 수십 명이 백혈병에 걸려 사망하거나 불구자가 되어도 삼성 반도체에 근무한 일과 그런 죽을병을 짊어진 것과의 상관관계는 한동안 제대로 규명되지 않았고 삼성이나 정부, 법원은 제대로 그것을 인정하지도 않았다.*

그러나 우리 사회에서 더욱 심각한 문제는, 명백하게 구조적인 이유로 발생한 사건조차도 언제나 특정 개인의 책임으로 귀결되고 만다는 것이다. 다수의 희생은 물론이고, 큰 사회경제적 위기가 발생해도 정권·대기업 등 그 사건에 원인을 제공한 주체에게 책임을 돌리지 못하게 하는 힘이 도처에서 작동하고 있다. 1997년 말 재벌들의 과다차입으로 국가부도 사태를 맞았을 때 재벌개혁의 목소리와 경제 투명성 요구는 하늘을 찌를 듯했다. 그런데 '내 탓이오'라는 담론과 연이은 '금 모으기 운동'은 원인 규명, 책임자 처벌, 그리고 향후의 지속

* 2018년 11월 23일, 삼성전자-반올림 중재판정 이행합의를 통해 삼성전자는 11년 만에 공식 사과를 했고 피해보상 계획을 발표했다.

적인 대책 마련 움직임을 완전히 덮어버렸다.

그래서 그런지 한국사람들은 정부가 명백히 책임을 져야 하는 일을 겪어도 개인의 운수나 부주의로 탓을 돌리거나 사태를 엉뚱하게 해석하는 경향이 있다. 인터넷에서 떠도는 '구조맹'構造盲이라는 단어가 이 현상을 잘 설명해준다. 구조맹은 사회 문제를 인과의 고리로 연결된 하나의 구조로 파악하지 못한 채, 언제나 개개인의 잘못이나 지도자의 도덕성 또는 인격 문제로 보는 태도를 말한다. 자연의 힘이 불가항력적이고, 왕의 의지가 결정적이던 전근대 시절에는 대다수 백성들이 세상에서 돌아가는 일을 그냥 자연, 신, 군주의 뜻이라 해석하고 체념하고 순종하였다. 그런데 지금은 전혀 그런 시대가 아닌데도 여전히 한국인들은 정치사회구조의 맥락에서 세상일을 보지 못한다.

구조는 눈에 보이는 것이 아니다. 그러나 조금만 깊이 생각해보면, 정치집단과 언론이 퍼트리는 '오염된' 언어와 뒤틀린 상황을 비판적으로 읽을 수 있고, 거기다 약간의 독서습관만 있어도 누구나 구조맹이 되지 않을 수 있다. 헤겔은 "생각한다는 것은 우리 앞에 바로 주어진 것을 부정하는 것"이라고 말한 적이 있는데, 여기서 '부정적 사고'란 수치의 마술, 궤변, 속임수, 관심과 책임을 다른 곳으로 돌리려는 권력·언론의 공모 등을 비판적으로 볼 수 있는 능력이다. 교육과 학문의 목적도 바로 세상 일의 원리를 깨닫고 제대로 지도자를 선출할 수 있으며, 독자적으로 판단해서 행동할 수 있는 시민을 기르는 데 있다. 시민들이 좀더 책임 있는 존재가 되고, 사회적 재난의 불의의 희생자가 되지 않기 위해서는 반드시 사회 문제를 구조의 맥락에서 보는 능력과 인과관계를 추론할 능력을 갖추어야 한다.

OECD나 한국교육개발원의 조사에 의하면 한국인의 대학 진학률은 세계 최상이지만 실질문맹률은 OECD 국가 중에서 최하위라고 한다. 국민의 학력만 높이는 것이 능사가 아니라 구조맹에서 벗어나게 하는 것이 지금 우리의 학교교육과 성인교육의 목표가 되어야 한다. 그래야만 국민들이 좋은 지도자를 선출할 수 있고, 정치집단에 사건의 책임을 물어서 사회를 정의롭게 만들 수 있다.

2015-02-24

2부

교육은 사회의 한솥밥을 같이 먹는 것

원천기술과 사람, 돈으로 살 수 없는 것

일본의 반도체 핵심 3개 부품 무역규제 조치로 반도체 강국의 신화에 사로잡혀 있던 우리는 화들짝 놀랐다. 핵심 소재·부품 국산화는 오래전부터 조금씩 추진되었지만, 일본이 정치적 목적으로 핵심 중간 소재 수출을 규제하면 한국의 주력산업이 큰 타격을 입을 수도 있다는 사실은 우리를 경악하게 했다. 우리는 세계화, 자유무역 찬가를 지난 20여년 동안 들어왔기 때문에 새로운 국제분업 질서에서 부품과 소재의 국산화는 이제 구시대의 의제라고까지 생각한 것도 사실이다.

그런데 한국의 문재인 정부와 산업통상자원부는 제조업 르네상스를 내걸었으나 일본의 무역규제가 있기 전까지는 소재·부품 이야기는 한마디도 하지 않았고, 거시 산업경제정책을 세운 것 같지도 않다. 대기업들은 소재·부품 생산 중소기업 지원에 소극적이거나 무관심했고, 이들과 불공정한 전속계약 상태에 있었던 한국 중소기업은 독자 기술 개발을 거의 포기했다.

그래도 정부가 1조원의 예산을 긴급 편성하여 핵심소재 생산에 집중 지원하려 하고 일부 기업도 '소재 강국 선언'을 한 것은 바람직한 조치다. 그런데 이 분야를 잘 아는 한 전직 기업 간부는 우리가 수조원, 수십조원 쏟아부어 부품·소재 국산화를 할 수 있었다면 왜 안 했겠느냐고 말한다. 또한 삼성 반도체에 오래 근무한 양향자 더불어민주당 일본경제침략대책특별위원회 부위원장도 최고 수준의 소재 개발은 기술보다는 '과학'의 영역이며, 정부 컨트롤타워의 역할이 중요하다고 말한다. 즉 전문가들은 제조업 분야의 원천기술 확보는 오랜 '축적의 시간'을 필요로 하며, 산업 생태계 조성, 시스템 구축, 연구지원 등 정부의 지속적인 정책 뒷받침이 필요하다고 강조한다.

케이팝, 한류 등 문화산업에서 한국 청년들이 전세계 사람들에게 감동을 주고, 한국의 여러 대기업의 상품이 세계의 전자제품 시장에서 일본의 유수 기업을 제친 일은 크게 자랑할 만한 일이다. 그러나 이번 일본의 무역 공격은 추격 발전의 성공담에 취해 있던 한국에 확실하게 한 방을 먹였고, 자유무역의 패러다임이 바뀐 오늘날 '돈으로 살 수 없는 그 무엇'이 국가 경제에 얼마나 중요한지를 깨우쳐주었다.

핵심 원천기술은 수입해서 쓰기 어렵다. 그것은 기초과학과 과학자, 그리고 고숙련 기술자는 돈으로 살 수 없다는 말과 같다. 중국이 세계 각지에서 활동하는 중국계 과학자들을 거액 연봉으로 유치하는 이유도 여기에 있을 것이다. 오늘 트럼프 대통령의 미국 제일주의는 세계적으로 보호무역주의를 부추기고 있지만, 세계화의 전도사인 클린턴 대통령 시절에도 미국은 가장 많은 예산을 자국 기업과 농업 보호에 쏟아부었다. 한국의 순진한 신자유주의 경제학자들이나 설익은 이론으로 산업정책이 무의미하다고 주장했던 것이 아닐까? 이제 자유무역이 빛이 바랬다고 말들 하지만, 사실 완전한 자유무역이라는 것은 애초에 없었다.

당장 이윤이 보장되지 않는 원천기술 개발과 그 기반인 기초과학 육성은 정부와 대학의 몫이다. 일본의 무역규제 조치 직후 카이스트 교수 100명이 반도체·에너지 등 원천기술 개발 지원을 위해 발 벗고 나서겠다고 선언한 것은 매우 좋은 소식이다. 그러나 정부의 연구개발R&D 지원이 원천기술 축적에 투자되지 않고, 우수한 젊은이들이 기초과학 분야가 아닌 의과대학으로만 몰린다면 우리의 미래는 그다지 밝지 않다. 구제국주의 국가들이 여전히 세계 가치사슬의 정점에 서서 원천기술을 독점하고 있다는 현실을 직시해야 한다.

내 전공인 인문사회과학 분야 역시 마찬가지다. 한국 대학들은 원천이론 생산 능력이 없는 수입중개소다. 한국이 세계 누구도 하루아침에 베껴갈 수 없는 원천지식을 생산해야 세계 사람들에게 한국의 지식 '상품'을 팔 수 있을 뿐 아니라, 한국과 인류가 처한 문제에 기여할 수 있다. 풍부한 역사적 유산과 인문사회과학적 자원을 원천지식 생산으로 연결시키지 않는다면 우리는 2등국가에서 벗어날 수 없다. 대기업-중소기업의 산업 생태계만 재구축해야 하는 것이 아니라, 대학의 교육·연구 생태계도 개혁해야 한다.

일본은 더이상 문제가 아니다. '우리 것'이 무엇인지, 시스템이 어떻게 뒤틀려 있는지 근본적으로 다시 생각해야 한다. 지구환경·에너지·식량 위기에 대처하는 인류의 대열에 서기 위해서도 원천기술과 기초이론의 축적은 필요하다. 핵심기술과 '사람'은 돈으로 살 수 없고, 정부의 장기적인 지원과 교육개혁을 필요로 한다. 이번 일본의 무역규제를 계기로 한국 정부·대학·기업이 돈으로 살 수 없는 것이 얼마나 중요한지를 새삼 확인하기를 바란다.

2019-08-27

공교육,
무엇을
할 것인가

전북교육청이 상산고를 자율형사립고(자사고) 재지정 평가에서 탈락시켜 교육부의 최종 결정에 관심이 집중되고 있다.* 서울시의 13개 자사고 재지정 결과도 관심거리다. '사재를 털어' '우수학생 육성'을 위해 운영해온 학교를 지방 교육청이 '높은 선발기준'을 세워 지정 취소하는 것이 부당하다는 반론도 들린다. 그러나 고교교육을 정상화한다는 교육적 고려에 기초한 전북교육청의 결정을 교육부가 번복하지는 말아야 한다.

* 2019년 7월 26일, 교육부는 상산고의 자사고 지정 취소를 받아들일 수 없다는 '부동의' 입장을 발표했음.

입시학원에 가까운 학교를 '자율형' 사립고라 일컫는 것 자체가 어불성설이다. 외국어고·과학고 등 특수목적고나 자사고 모두가 이름과 내용이 일치하지 않는데, 교육의 수월성과 학교의 다양성이라는 취지를 걸고 설립은 되었으나, 실제로 과학·외국어 영재교육과는 거리가 먼 입시 명문이 되었기 때문이다. 지금까지 한국에서 '좋은 학교'가 반드시 '좋은 교육기관'은 아니었으며, '입시'라는 용광로는 모든 교육적 고려를 녹여버렸다.

이름과 내용의 불일치는 자사고·특목고에만 해당되는 것이 아니다. 이명박 정부가 역점을 둔 전문계고, 즉 특성화고 등도 마찬가지다. 취업한 전문계고 졸업생의 65%는 전공과 취업현장이 일치하지 않는다고 답하고, 반 이상은 일의 수준이 배운 것보다 낮다고 말한다. 수많은 전문계고 학생들이 실습현장에서 어이없는 죽음을 당한 뒤에야 알려진 사실이지만, 실제 현장에서의 실습은 거의가 위험한 단순노동에 학생들을 몰아넣는 일이었다.

대학도 이름과 실재가 불일치한다. 다수의 '전문'대학 졸업생의 임금과 노동조건은 4년제 졸업생보다는 고졸자들과 더 비슷하다. 4년제 '대학' 역시 고졸자라는 사회적 낙인을 피하기 위한 '간판' 발급 기관이지 학문과는 거리가 먼 곳이 된 지 오래다. 대학이 줄줄이 문 닫게 될 상황이 훤히 보이지만, 지금도 상당수 4년제 대학에서는 수학능력이 없는 고졸자와 한국어를 제대로 못하는 중국 학생들을 마구 입학시켜 적당히 졸업시키는 비교육적인 일이 벌어지고 있다.

수업시간에 책상에 엎드려 자는 수학포기자(수포자), 5만명 안팎의 학업중단 아이들, 밤새 알바 하고 강의실에서는 잠만 자는 대학생들에게도 학교는 고통을 주는 곳이지만, 사실상 위험한 노동현장에 들어갈 것을 뻔히 알면서도 취업률 때문에 아이들을 회사로 보내는 전문계고 교사들, 공부에 대한 관심도 수학능력도 없는 학생들을 매일 대면해야 하는 일반고 교사와 대학 교수들의 자괴감도 깊다. 모든 구성원이 불행한 '교육 없는 교육현장'이다.

학생들이나 교사·교수 모두 수월성이니 전문성이니 경쟁력이니 하는 말이 현실과 거리가 먼 구호에 불과하다는 것을 알고 있다. 그런데도 이 거대한 신화가 남아 있는 이유는 대학서열에 따른 임금격차나 지위획득 기회의 차별이 엄존하고, 사회적 낙인을 받지 않으려면 어쩔 수 없이 대학에 가야 한다는 것을 알기 때문이다.

공교육의 최대 과제는 입시관리가 아니다. 즉 시민성 함양, 미래 산업구조 변화에 따른 숙련 인력 양성, 높은 전문성을 가진 집단 육성이 고교교육 정책의 최대 관심사가 되어야 한다. 사실 특수목적, 특성화, 전문계 등은 고등학교에 적용될 명칭이 아니라 대학에 적용되어야 한다. 대다수 고교는 일반 시민교양과 대학 수학능력 함양을 위한 기초학습 기관으로 자리매

김돼야 한다. 또한 국가가 제조업을 포기하지 않는다는 전제 아래 미래 산업과 연관성이 높은 실업고·마이스터고 등을 전문대학 진학과 연계하여 4년제 졸업자보다 더 좋은 대우를 받는 기능인을 길러내는 곳으로 만들어야 한다.

사실 고교 최우수 학생들이 전국의 모든 의대를 싹쓸이하는 것은 심각한 '국가 실패'이자, 국가의 미래를 어둡게 하는 현상이다. 기초과학, 공학, 그리고 인문사회과학 연구에 뜻을 가진 학생을 전폭 지원해주고, 전문대학에 더 과감한 지원을 해서 양질의 기능인이 높은 사회적 대우를 받도록 해주는 일이야말로 진정으로 국가가 해야 할 일이다. 공부에 흥미는 없지만 기술·문화·예술 분야에 잠재력을 가진 청소년들을 버려서는 안 된다. 또한 진정으로 수학·과학·어학 영재를 교육한다면 사립이라도 국가가 더 지원해야 하고, 그 사립이 특별한 교육철학을 실천한다면 국가는 그런 학교에 최소한으로만 간섭해야 한다.

그래서 자사고가 일반고가 되는 것은 문제 해결의 첫걸음일 뿐이다. 자사고가 아니라 버려진 90퍼센트의 고등학생과 대학생이 공교육의 주요 관심사가 되어야 한다.

2019-07-02

지식생태계
복원 없이
세상은 안 바뀐다

2018년 11월, 문재인 정부는 골드만삭스 출신 경제학자 권구훈을 북방경제협력위원회 위원장으로 임명했다. 그는 박근혜 전 대통령이 말한 '통일대박' 보고서를 낸 인물로 알려져 있다. 정부는 그의 인선에 대한 비판이 일자 남북 교류 상황을 염두에 둔 것이라고 설명했지만, 그의 이력으로 짐작해보면 문재인 정부는 북한을 투자처, 즉 무주공산의 시장 관점에서 접근하는 것이 아닌가 하는 의구심을 갖지 않을 수 없다.

나는 경제 전문가로서의 그의 능력을 의심하는 것이 아니다. 모처럼 차오르는 남북화해와 평화의 기운을 문재인 정부가 어떻게 이끌어갈 계획인지를 묻는다. 남북화해와 평화는 남북한 사회 모두의 거대한 질적 전환과 동북아 정치·경제 질서 전체의 판갈이를 요구하는 지난 70년 이래 대사건인데 과연 한국이 제대로 대처할 수 있을까를 묻는 것이다.

1990년대 이후 최근까지 한국에는 두 유령이 떠돌았는데 '북한붕괴론'과 '시장만능론'이 그것이다. 94년 7월 김일성 주석이 사망했을 때 한국 대다수의 정치학자, 주류언론, 국책연구기관은 북한 붕괴가 임박했다고 외쳤다. 당시 정종욱 대통령 안보보좌관이 미국 백악관 안보담당 보좌관과 통화하면서 '북한이 6개월 내지 2년 안에 붕괴할 것'이라는 말을 나눴다고 하는데, 김영삼 대통령은 "언제 갑자기 통일이 눈앞에 닥쳐올지 모른다"며 북한 붕괴 가능성을 암시하기도 했다. 하지만 그런 일은 없었다.

97년 외환위기로 나라가 국가부도 상태에 몰려 IMF 관리체제라는 굴욕을 맛보았을 때 대다수의 경제학자, 주류언론, 국책연구기관은 시장경제, 외국자본의 유입, 공기업 민영화, 노동시장 유연화가 한국 경제의 체질을 개선할 것이라고 이구동성 외쳤다. 덕분에 한국은 IMF 관리체제에서 조기 졸업했지만, 가장 급진적인 방식으로 신자유주의 체질로 변했다. 그 결과 재벌체제는 강화되고, OECD 회원국 최고 수준의 임금 불평등, 자산 불평등 국가가 되었다. 산업정책이 실종되고 내수시장이 살아나지 않는 것도 이와 무관하지 않을 것이다.

지금 전세계는 저성장 기조가 유지되는 가운데 기후환경

위기는 인류의 생존을 위협하고 있으며, 한 달째 지속된 프랑스의 '노란조끼' 시위가 보여주듯이 지구적 불평등은 극에 달해 있다. 사실 한국 청년들의 좌절도 프랑스 청년들 못지않지만, 목소리를 낼 방법을 모르기 때문에 문재인 정부에 대한 지지 철회로 대응할 뿐이다.

김대중·노무현 정부는 그런 '북한붕괴론'을 무시하고서 대북 화해 정책을 폈지만, 정부·학계 우군의 지원을 받지 못했고, 복지 확대나 사회적 합의를 추진할 의지는 있었으나 경제학자나 경제관료, 주류언론의 시장주의와 친재벌 담론의 융단폭격에 거의 일방적으로 밀려 그들의 주장을 대체로 수용했다. 오늘 문재인 정부의 대북 평화·화해 전략은 크게 칭찬할 만한 대성과지만, 권구훈의 임명이 상징하는 것처럼 대북 경제교류의 철학이 개발독재 성장주의 방식의 박근혜 정부와 뭐가 다른지는 분명하지 않다.

외환위기 당시 IMF가 한국에 요구했던 무리한 구조조정과 경제개방 처방이 한국 경제를 살리는 길이었다고 여전히 생각하는 사람은 없을 것이다. 탈산업화 시대의 세계 경제질서, 과거 동서독 통일의 경험, 북한 현대사와 변화하는 동북아 국제정치에 대한 식견에 기초한 장단기 국가 전략, 특히 남북한 보통사람들의 생존과 자존감을 획기적으로 개선하기 위한 전략 등이 필요한데, 과연 그런 청사진을 골드만삭스나 세계은행이 제공해줄까?

조선 말기 과거시험 최우등 출신 관료들이 서세동점의 시대 변화를 읽었던가? 외환위기 당시 사법시험·행정고시 출신 최우등 판사나 관료들이 국가부도를 경고했던가? 대학에 있는 하버드나 시카고 경제학 박사 모두 집결시켜 머리를 짜내면 답이 나올까? 정당이나 국책연구기관에는 북한, 중국, 독일, 미국 전문가가 얼마나 있나?

국내외의 이 엄청난 도전에 맞서야 할 한국의 지식생태계는 거의 무너졌다. 이런 상황에서 문재인 정부의 100대 과제에 '학문'이라는 단어는 한번도 등장하지 않았다. 극히 중요한 정책 결정을 앞두고 미국의 '세계적' 전문가만 불러오면 된다고 생각하는 것일까? 지식과 학문은 국가의 인프라 중 가장 중요한 인프라다. 학문은 학자들의 밥벌이 문제가 아니라 국가 대개조를 위한 이념·정책·교육·언론·출판 모든 것과 관련되어 있다. 정권이 바뀌어도 세상이 안 바뀐다고 생각한다면, 과연 변화를 이끌 지식 집단이 있는지 물어야 한다.

2018-12-11

영업이익과 재산권이 교육을 대신할 때

한국은 유치원과 사립대학의 천국이다. 7억원 정부 지원금으로 명품을 사재기한 유치원 원장에 대한 학부모들의 원성이 높지만, 사실 학생 등록금 수십, 수백억원을 빼돌려온 여러 사학 재단의 비리에 비하면 새발의 피다. 이는 한국 정도의 발전 수준을 가진 나라, 특히 한국과 비슷한 교육열을 가진 일본이나 대만에서도 찾아볼 수 없는 현상이다. 정부수립 후 70년 동안 명색이 교육기관이 이렇게 부정과 비리의 대명사로 인식돼온 나라는 아마 한국밖에 없을 것이다.

국민의 세금은 언제나 줄줄 새왔고, 해당 학교 학생과 학부모들의 분노는 매번 순간의 메아리로 남았다. 감사 기관과 교육부의 감독 부실 등을 질타하는 언론의 호들갑도 비리의 주범이 구속되거나 잠시 물러나면 그걸로 끝이었다.

왜 그런가? 한국의 사립유치원과 사립대학은 한국에서 가장 강력한 이익집단이기 때문이다. 이들은 여야 정치권, 교육관료, 언론, 종교계와 긴밀히 얽혀 있다. 그래서 선출직 국회의원들이나 시·도 교육감, 지자체장들도 이들의 비리를 건드리기를 꺼린다. 근원적으로는 사립학교법상 사립유치원과 대학은 공공성을 갖고 있지만 동시에 영업이익을 추구하는 영리기관의 성격도 갖고 있기 때문이다. 특히 한국에서는 유아교육과 대학교육의 80% 이상을 이들 영리기관이 담당하고 있는데 이는 사립 위주의 교육체제를 유지하는 미국보다도 높은 편이다. 그런데 많은 국가예산이 지출되지만 행정적 감시나 비리에 대한 법적 처벌은 미국보다 훨씬 경미하니, 이들 기관의 비리는 허용된 것이나 다름없다.

법원은 분쟁이 일어나도 대체로 사학의 영업이익과 재산권을 지키는 쪽으로 판결을 내렸고, '종전 이사'라는 해괴한 개념까지 동원하여 족벌 재단을 옹호해왔다. 역대 정부와 정치권이 이를 알고도 방치한 이유는 이들의 로비력 때문이기도 하지만, 근원적으로는 교육과 학문의 백년대계, 즉 교육의 내용, 가치와 철학을 정립하는 데는 관심이 없었기 때문이다. 한편 출세 지향의 교육열로는 세계 최고인 한국 학부모들은 공민의 육성으로서 교육에 대한 관심은 자식 사랑의 10%에도 못 미친다.

자율성과 다양성을 생명으로 하는 사학은 분명히 존립할 필요가 있다. 일제강점기나 해방후 민족사학의 정신을 가진 일부 사학은 권력의 통제에 맞서면서 나름대로의 교육철학을 실천한 경우도 있었다. 그러나 해방후, 특히 군사독재와 자본주의 질서가 정착된 이후에 그런 사학은 거의 사라졌고, 반민주·부패·반사회성의 아이콘이 되었다. 한국에 입시학원이 아닌 '자율형' 사립고가 있던가? 나름대로의 학풍과 철학이 있는 사립대학은?

매년 2조원의 세금이 사립유치원에, 그리고 5조원의 세금이 사립대학에 투여된다고 한다. 이 돈이면 아마 수천개의 공립유치원을 짓거나 운영할 수 있을 것이고, 공립대학 수십개를 짓고 경제와 사회의 미래를 개척하는 기초과학자와 인문사회과학자 수천명을 먹여살릴 수 있을 것이다. 그런데 그것이 안 된다. 사립유치원 원장들은 국공립 유치원 확대를 결사저지하고, 정치가와 경제관료들은 대학과 학문의 공공성이 왜 중요한지를 알지 못한다.

유치원과 대학은 교육의 입구이자 출구다. 즉 유치원은 그 사회의 가장 기본적인 논리와 정신이 아이들의 신선한 피와 처음 접촉하는 극히 중요한 현장이며, 대학은 청년들이 자신의 지식을 사회에 어떻게 활용할지를 고민해야 할 극히 중요한 현장이다. 그런데 이 교육의 입구와 출구를 '영리' 논리가 틀어막고 있으면 어떻게 될까? 한국의 아이들과 대학생들은 사회에서 시민, 공인, 직업인, 엘리트로 살아가는 기본 덕목과 정신을 익힐 기회를 배우지 못한 채 사회인이 된다. 지난 한 세기 동안 한국 엘리트들의 일그러진 모습은 여기서 생겨났다.

유은혜 교육부 장관은 교육의 패러다임을 바꾸겠다고 말했다. 그런데 어디서 어디로 가겠다는 것인지 분명하지 않다. 기존 교육 패러다임은 무엇인가? 출세와 성공을 위한 사적 이익이 압도하는 교육, 가족과 국가가 막대한 예산을 지출해 가르쳤지만 국가나 사회에 공적 책임의식은 없는 사람을 기르는 교육, 진정으로 창의적이고 자율적 인간을 양성하지 못하는 교육, 이것이 기존의 교육 패러다임이다.

유치원과 대학의 적어도 50%는 공립이 되어야 한다. 학부모와 법인의 사익을 충족시키는 반교육적인 기관들을 시민이 통제하는 공공 교육기관으로 전환하는 법·제도 개선이 시급하다. 세계 어느 나라도 교육의 입구와 출구를 영리기관이 담당하도록 내버려두지 않는다. 교육 선진국은 모두 공교육 선진국이다.

2018-10-16

평가권력,
평가국가

코이카(한국국제협력단) 등이 지원하는 동남아 국제개발 사업에 참여했던 사람들 이야기를 들어보면 옆의 외국 단체는 모두 사업을 어떻게 잘할 것인가 토론을 많이 하는데 한국 팀들은 각자 컴퓨터 앞에 앉아 보고서 쓰기에 바쁘다고 한다. 외국의 한국학 연구소에 관계하는 교수들도 한국 정부의 연구지원비를 받으려면 보고할 것이 너무 많아 짜증나서 다시는 지원하고 싶지 않다고 말한다.

실제 정부가 발주하는 각종 공모사업을 진행하다보면 지나치게 까다로운 영수증 처리 작업에 질릴 정도다. 매번 "너희는 돈을 떼먹을 준비가 되어 있지"라는 의심을 받으며 구차하게 돈을 받는 처지로 전락한다.

지난 몇달 동안 한국 모든 대학의 대학평가 담당 교수들은 교육부에 제출할 서류 준비에 날밤을 지새웠다. 그런데 그들을 더 힘 빠지게 만든 것은 점수 0.1점을 올리기 위한 각종 그럴듯한 '말 만들기' 작업이었다. 그 알량한 정부 지원금에 목을 맨 대학의 슬픈 풍경이다. 그렇게 해서 지원을 받게 된 대학과 탈락한 대학의 교육 성취가 실제 크게 다를까? 그래서 지원을 독식한 대학들이 정말 한국 대학교육을 선도하고 있을까?

'진보' 교육감이 들어서고 정권이 바뀌어도 교육당국에 제출할 각종 보고사항 처리나 지원비 따내는 일에 머리를 맞대느라 중고등학교 선생님들은 여전히 수업과 학생지도를 뒷전으로 돌려야 한다. 교사들 사이에서 교육문제를 토론하는 일은 오래전에 사라졌다고 한다. 이런 상황에서 교육부는 교사를 평가하고, 교사는 학교생활기록부를 채우기 위해 학생의 모든 활동을 평가한다. 지금 학생들은 평가받으러 학교에 간다고 해도 과언이 아니다.

한두 번의 평가 결과에 따라 개인과 조직의 운명이 좌우되는 사회에서 평가자는 수치화된 점수나 등급 매기기 시험을 선호하게 된다. 그래서 애초에는 졸업장을 자격증으로 인정하자는 로스쿨 변호사 양성 제도도 결국 시험제도로 퇴행했고, 시험을 거쳐 입사하지 않은 비정규직의 정규직화를 도저히 못 받아들이겠다는 공기업 정규직 청년들의 분노도 거센 형

편이다.

예산을 집행하는 관료들은 예산을 공정하고 투명하게 집행하려면 이렇게 할 수밖에 없다고 변명할 것이다. 수량화된 점수로 등급을 매기지 않고서는 이해당사자들이 그 결과에 승복하지 않을 것이기 때문이다. 그런데 과정과 절차가 해당 조직의 미래와 존립의 이상을 압도하면 자발성과 창의성의 싹은 아예 나올 수도 없을 것이다. 지난 20여년 동안 한국은 관료적 형식주의와 신자유주의적 효율성의 논리가 완벽하게 결합하여 성과 평가의 큰 칼이 모든 학교·정부·공기업의 문화를 지배하는 '평가국가'가 되었다. 평가 절차가 빈번하고 평가 방식이 더 정교해질수록 평가자 즉 관료의 권력은 더 커지고, 평가받는 쪽은 더 무력화되며, 그들의 온 삶은 피폐해진다.

물론 평가권력의 창궐은 사회의 도덕적 진공 상태와 맞물려 있다. 한국에서 시험 성적, 정량평가 방식이 이렇게 위세를 떨치는 이유는 그것 외에는 믿을 만한 사회정치적 권위체나 이상이 없기 때문이다. 정치권·사법부 등에 대한 신뢰 수준이 언제나 OECD 국가 중 거의 최하위에 머물러 있는 불신사회에서 평가권력의 힘은 더 커진다. 특히 시민사회의 자정능력이 약하고 전문가 집단의 직업윤리가 없는 것이 큰 원인이다. 직업집단 자체의 이상과 성취의 기준이 없으니 평가권력이 개입해서 본말이 전도되는 현상이 생긴다.

평가 만능주의는 구시대의 자의적 권력행사보다 진일보한

것처럼 보인다. 하지만 그것은 자칫 '합리'의 이름으로 '비합리'를 은폐할 수도 있다. '기회의 평등' 없는 '과정의 공정'은 허구이다. '실적'을 말하기 전에 그 실적이 무엇에 쓰기 위한 것인지 먼저 물어야 한다. '단기적 실적' '성과' '경쟁력'을 내세우는 평가권력을 견제하기 위해서는 바로 '평가권력'을 제대로 심판할 수 있는 정치적 지도력과 사회적 권위가 필요하고, 재벌과 경제관료들 간의 오랜 공생관계를 끊을 수 있는 사회정치적 대항력이 있어야 한다.

한국 사회의 비극은 정작 평가받아야 할 집단·세력·세대는 평가의 무풍지대에 있고, 평가와 무관하게 꿈과 실력을 키워야 할 사람들은 매일 지독한 평가의 칼날 위에 있다는 점이다.

학생과 청년들을 '평가권력'의 노예 상태에서 해방시키자.

2018-05-22

마지막 지식인들, 그 이후는?

2017년 4월 스위스에서 열린 국제학술행사에 참가했다. 둘러보니 40여명의 참석자 중 내가 최연장자에 속한다는 사실을 발견하고 약간 놀랐다. 한국에서는 학술행사나 각종 토론회, 그리고 시민사회의 모임에 가면 50대 중후반 사람들이 거의 단상에 앉아 있거나 마이크를 쥔 경우가 많고, 청중도 대부분이 또래 사람들이기 때문이다. 거의 모든 학회, 시민모임, 노조에 젊은 사람들이 오지 않는다는 이야기가 나온 지도 한참 되었다.

늙어가는 한국? 베이비붐 세대의 장기집권? 청년들을 무시하는 위계서열 조직 문화? 그런 점도 있다. 그러나 곰곰이 생각해봐도 3, 40대가 오지 않는 것이 아니라 이런 모임에 올 3, 40대 자체가 없다는 생각이 든다. 기업이나 창업현장에는 정말 야심차고 '능력 있는' 젊은이들이 몰리는 것 같다. 그러나 각 언론과 잡지의 지면, 시민운동권, 노조, 학계나 정치권 모임에는 머리 희끗희끗한 사람들이 언제나 그 얼굴이다. 왜 이렇게 되었을까?

물론 학생운동이 소멸하고 대학에서 아카데미즘이 실종된 것이 가장 큰 이유다. 과거 학생운동은 공보다는 과가 크다는 평가도 있다. 그러나 한국에서 학생운동 단체가 국가나 민족, 사회의 대의를 위해 정열을 바친 공공 지식인을 양성했다는 사실은 분명하다. 그런데 대학이 상업화·기업화되면서 대학에서 학문과 사회운동을 꿈꾸는 젊은이들은 사라졌다.

외환위기 이후 모든 청년은 신자유주의 논리에 적응해야 했고, 시장질서는 이들을 경쟁적 인간으로 만들었다. 시장에서 곧바로 써먹을 수 있는 자격증을 주지 않는 문화예술, 기초학문, 시민운동, 정치 분야에서는 이제 청년들이 사라졌다. 이 방면에 소양과 의지가 있는 청년들도 대기업 입사, 언론고시, 교사고시, 로스쿨, 미국 유학의 길을 택했다. 그리고 이 분야에서 자격증을 따거나 힘들게 취업을 한 사람들도 더는 공적 역할을 하지 않았다. 그곳에서 생존하는 일도 만만치 않았지만, 치열한 경쟁을 거치다보니 그들은 이미 '다른 사람'이 되어버렸다. 결국 재정 여력도 없었지만, 미래를 대비할 여유도 없었던 시민사회, 노조, 정당, 학계의 지도부는 '똑똑한' 젊은이들을 잡지 못했다.

독일에는 약 2,000개의 각종 공익재단이 있어서 사회의 인프라를 지탱한다. 그리고 모든 정당은 자체 싱크탱크를 갖고서 미래의 정치가와 정책전문가를 길러낸다. 내가 만난 30대의 에버트재단 한국 소장은 50대 한국 학자들의 식견을 넘어섰다. 그러나 한국의 정당·시민사회에는 제대로 된 정책연구소나 교육 연구 기능을 하는 재단이 없다. 중장기 조사 연구를 하는 대학연구소도 찾아보기 어렵다. 총 수천억원의 예산을 지출하는 국책연구소들이 어떤 기능을 하는지, 미래의 정책전문가를 기르고 있는지 우리는 알지 못한다.

7, 80년대 민주화 운동에 참여했거나, 그렇게 하지 못한 도덕적 부채감 때문에 '돈 안 되는' 일에 많은 시간과 정력을 바쳤던 '자리 잡은' 기성세대는 한국의 '마지막 지식인들'이 되어 곧 은퇴할 것이다. 물론 그런 '지식인의 시대'는 갔다. 그러나 새 유형의 지식인은 필요하다. 80년대 이후 미국과 일본의 보수화와 같은 퇴영적 모습은 공공 지식인의 소멸과 깊이 연관되어 있다는 사실을 잊어서는 안 된다. 국가나 사회 전반에 대해 비판과 대안의 목소리를 낼 사람, 기초학문과 시민사회의 활성화를 위해 뛸 젊은이는 언제나 필요하다. 그런 소양을 가진 사람들이 사기업이나 대형로펌으로 가게 내버려두거나 박사학위를 받고서 하루하루의 생계를 걱정해야 하는 반실업

자로 살아가도록 해서는 곤란하다.

지난 10년 동안 한국연구재단의 인문한국HK 사업에 참여했던 박사들 수백명이 사업 방침 변경으로 이제 길거리로 나앉게 생겼다. 그런데 이 사업 예산 다 합해도 130억밖에 안 된다. 서울시문화재단 예산이 200억이 넘는다.

정부와 여당의 중요한 임무 중 하나도 바로 공공 지식인이 생존할 수 있는 물적·제도적 인프라를 만드는 일이다. 그것이 바로 촛불을 제도적으로 완성하는 일이고 한국 사회의 미래를 밝히는 일이다.

2017-09-05

고시, 입시에 능했던 어떤 사람들

대학 재학중 사법고시 합격, 사법·행정 양시 패스, 고시 수석 등은 대다수 한국인이 부러워하는 인생이었다. 합격자는 고향 네거리나 출신 학교 정문에 이름 석자 드날리는 영예까지 누렸다. 그들의 노력과 의지에는 존경을, 능력에 대해서는 부러움을 가질 만하다. 그런데 '가문의 영광'이 국가나 사회의 영광이었을까? 진경준, 우병우, 홍만표의 드러난 행태를 보면서 '시험 귀재'가 '사익추구 귀재'가 되어 반사회적 행태를 저지르고도 부끄러워하지 않는 사실을 씁쓸하게 확인한다.

이게 어제오늘의 일일까? 조선 말 나라의 운명이 풍전등화일 때 '시험 귀재'들은 사회를 타락시킨 '탐관오리'가 되었고,

을사보호조약·한일강제병합 당시에는 나라를 팔아먹은 대가로 일제의 작위를 받아 호의호식하였다. 고등고시에 합격한 조선인 거의 전원은 동포들을 학대하는 일제의 하수인 역할을 했고, 군사정권 시절의 고시출신 대다수는 반민주·반인권 권력의 마름 역할을 했다. 물론 뛰어난 '능력'을 국가 경제 발전에 쏟았던 청렴하고 우수한 관료들도 많았고, 위의 압력에 맞서 옷을 벗고 인권변론에 앞장선 법관들도 있었다. 그러나 권력과 대기업의 도구가 되기를 거부하고 공익을 위해 소신을 굽히지 않거나 약자인 국민의 편에 섰던 고위 관료나 법관은 거의 없었다.

이게 개인 탓일까, 제도 탓일까? 나는 제도 탓이라 본다. 고시제도가 일종의 특권 지위를 보장해주는 국가공인 특허권 획득 경쟁이기 때문에 지망자들의 사적 욕망이 공공심을 압도하며, 결국 국가를 사익추구의 장으로 만들기 때문이다. 더 근본적인 문제는 단 한 번의 단답형, '정답이 있는' 시험 자체에 있다. 현행 자격시험이나 입시로는 사람의 잠재력, 탐구심, 그리고 공인으로서의 덕성을 평가할 수 없다. 엄격히 등수를 매겨서 승자와 패자를 냉혹하게 가르는 시험은 더 치열해지고 반복횟수가 많을수록 참가자를 더욱 경쟁적 인간으로 만든다.

어려운 시험을 통과한 사람은 그 지위를 본인 능력으로 얻은 소유물이라 생각한 나머지 그것으로 권력과 부를 얻을 자격이 있다고 생각하면서 공조직을 사익의 수단으로 삼을 가능성이 크다. 그래서 특권의식, 엘리트 의식을 갖는 그들은 과거에는 총칼을 쥐고 있는 자에게 복종하여 권력과 자리를 얻는 데 능숙했고, 오늘날에는 최고 부자들의 입 노릇을 하면서 부를 챙기는 '재주'에 능하다.

요즈음 세상의 지탄을 받는 '고위 공직자'들은 바로 고시제도가 만들어낸 '괴물'이자 어쩌면 이 제도의 희생자일지 모른다. 그 어려운 '시험'에서 1등의 성적을 거두었으니, 돈 버는 일에도 1등을 하려다가 1등 범죄자가 된 꼴이라고나 할까? 나향욱 전 교육부 기획관의 '국민 99%는 개돼지' 발언도 결국은 '나는 행시 출신이니 너희들과 다른 세계에서 살 자격이 있다'는 고위 공직자들의 평소 생각을 표현한 것이다.

그래서 조선 말의 과거시험 폐지론은 '시험 만능'인 오늘의 한국에도 유의미하다. 유형원은 과거라는 시험제도가 올바른 인재 선발의 방법이 아닐뿐더러 교육·학문·문화와 정치를 타락시킨다고 보았고, 정약용도 과거시험이 "총명한 사람을 평균적 인간으로 만들고, 국가의 지적 역량을 무너뜨린다"고 비판했으며, 유길준도 "과문科文이란 것은 도를 해치는 함정이자 인재를 해치는 그물이며, 국가를 병들게 하는 근본이자 인민들을 학대하는 기구機具이니, 과문이 존재하면 백해百害가 있을 뿐"이라는 이유로 과거폐지를 주장했다.

결국 고시가 편협한 전문가들의 특권을 재생산하는 기구에 불과하다는 비판이 제기되어 로스쿨제도가 도입되었고, 국립 외교원이 설립되었으며, 이제 행정고시만 명맥을 유지하게 되었다. 로스쿨 역시 계급재생산의 위험이 있고, 선발 과정에서의 공정성 논란이 있지만 국가공인 특권층 재생산 기제인 고시제도로 다시 되돌아갈 수는 없다. '고시'가 국가나 사회에 미치는 해악을 잊어버려서는 안 될 것이다.

문제는 고시는 없어져도 한국식 '시험' 제도는 남아 있다는 점이다. 기억력, 어학능력, '정답을 요구하는' 논술 성적으로 부여한 자격증이 또다시 특권으로 연결된다면 문제는 여전히 지속될 것이다. 지금이라도 시험제도를 전면 재검토해야 한다. 장차 객관식, 단답형, 정답 쓰는 시험제도를 폐지하고 사회적 평가 역량을 길러야 한다.

2016-07-26

사학, 교육부와 우리 사회의 99%들

"국민 99%가 개돼지"라고 말했던 교육부 관리 나향욱 씨는 국회 청문회장에 나와 "죽을죄를 졌다"고 말했다. 취중진담이라고나 할까. 사실 그의 진짜 죄는 고위 관료, 대법원 등 우리 사회 최상부의 평소 생각과 행동, 즉 '공공연한 비밀'을 들추어낸 것에 있다.

여기 증거가 있다. 상지대 사태다. 2016년 6월 23일 서울고등법원은 김문기 일가를 상지대 정이사로 복귀시킨 2010년 사학분쟁조정위원회(사분위)의 결정이 무효라고 판결했다. 이 판결로 지난 7년 동안 대학을 반교육의 현장으로 몰아넣었던 상지대 사태는 새 국면에 들어서게 되었다. 환영할 만한 결정이나, 그동안의 상처가 너무 크다.

김문기의 상지대는 한국 사학비리의 대명사였다. 그가 관선 이사로 내려와 상지대 재단을 소유물로 만든 1978년부터 93년까지 단 한 차례의 이사회도 열리지 않는 등, 우리 상상력 범위 내의 거의 모든 비리가 이 기간에 일어났다. 결국 93년 김문기가 구속되고 임시이사 체제가 유지되면서 상지대는 대학의 모습을 되찾았다. 그런데 사학비리 전과자를 '종전 이사'라는 비법률적인 용어로 포장해서 복귀의 길을 터준 2007년 대법원 판결로 악몽은 다시 찾아왔다. 김문기가 '소유권'을 되찾자 '비소유자'들에게는 '노예'의 길이 열렸다.

2008년 이후 상지대 외의 많은 비리대학이 교육부와 사분위의 '구舊재단' 복귀 결정으로 큰 혼란에 빠졌다. 지난 이명박·박근혜 두 정권하의 교육부와 법원은 그것을 '좌파'에게 '빼앗긴 재산'을 원소유자에게 돌려주는 일로 생각했다. 그 이후 비리사학은 여야 일부 정치권 인사들에게는 정치자금원이, 일부 교육부 관료들에게는 '미래의 직장'이, 일부 사분위 위원 변호사들에게는 자기 로펌의 고객이 되었다. 그것은 사학의 자율·자유라는 이름으로 정당화되었으나, 교수·직원·학생들에게는 '전제왕정'의 복귀를 의미했다.

미국·유럽은 물론 일본·대만 등 아시아 어떤 나라에서도 일어나지 않는 사학재단의 전횡과 비리가 오직 한국에서만 지난 반세기 이상 반복된 것은 정말 부끄러운 일이다. 역대 독재정권이 붕괴되면 그 정권과 유착되었던 사학비리가 언제나 전면에 부상했다. 그것은 사학비리가 단순히 재단 이사장의 권위주의, 이사장에게 과도한 권한을 주는 사립학교법상의 문제에서만 기인하는 것이 아니라, '한국 1%의 족벌 세습집단의 이익'과 그것을 지켜주는 여러 권력집단의 이해가 굳건히 연결되어 있기 때문일 것이다. 박근혜 전 대통령이 야당 대표 시절 개방이사제 도입 등을 내용으로 하는 사학법 개정안을 반대하며 6개월 전설적인(?) 장외 투쟁을 했던 일도 이와 무관하지 않을 것이다.

우선 이 모든 사건의 분기점이 된 대법원과 교육부의 '재산 돌려주기' 결정은 그 근거도 없고 법적으로도 문제가 있었다. 사립학교법상으로 사학재단은 출연자의 개인 재산이 아니다. 또한 사립학교의 자율성과 자주성은 이사장에게 부여된 전권에 있는 것이 아니라 교육의 공공성이라는 헌법상의 가치 아래 있다. 상지대도 그렇지만 해방후 1960년대까지 대표적인 사학재단은 거의 민간인들의 뜻있는 기부로 세워진 민립대학이었다. 그런데 박정희 정권은 이렇게 만들어진 민립대학을 족벌집단의 소유물로 만들어주었다. 영남대, 조선대, 인하대, 덕성여대 등 유명 사립대학은 모두 민립대학으로 시작했으나, 정권 자신 혹은 정권과 밀착한 한두명의 이사가 그것을 사유재산으로 만들었고, 그때부터 사학은 '교육'의 가치와는 멀어졌다.

여전히 대다수 국민들은 이것이 소수 비리대학만의 문제라고 생각한다. 사실 한국은 대학의 85%, 고등학교의 45%가 사립인 전형적인 사립 중심의 교육체제다. 이사장의 독단 아래 교사와 교수가 학내의 비교육적인 일을 보고서도 눈을 감는 것을 지켜본 학생들이 자존감과 권리의식을 가진 민주시민이 될 수 있을까? 사학을 이사장의 '재산'이라고 생각하는 사람들은 학생들이 복종을 미덕으로 아는 개돼지처럼 살기를 원하는 것은 아닐까?

사학의 민주화·공영화가 대학교육은 물론 사회 정상화의 절대적인 관문임을 또다시 확인한다. 기부자가 건학의 철학과 이념을 정착시킨 다음 아름답게 뒤로 물러나는 모습을 우리는 언제쯤이나 볼 수 있을까?

2016-07-12

사회의 한솥밥을 먹는다는 것

2015년 홍준표의 '무상급식' 철회는 그의 의도와는 무관하게 우리 사회에서 복지·교육 문제에 대한 관심을 다시 불러일으켰다. "공짜 좋아하면 안 된다"고 한 도의원의 발언 역시 대중 차원의 '복지 인식'의 현주소를 보여준다. 사실 무상급식이라는 말 자체가 잘못된 것이다. 세상에 무상은 없는 것이고, 누군가는 돈을 내야 하는 법이기 때문이다. 즉 무상급식 논란은 누가 밥값을 낼 것인지의 문제이고, 더 나아가 왜 교육 공공성을 확대해야 하는가의 문제다.

홍준표나 도의원이 특별히 비뚤어진 생각을 하는 사람은 아니다. 거의 대부분이 가난했던 5, 60년대에 가족의 힘으로 모든 것을 해결해온 한국인들은 보통 내 밥을 내 돈 주고 사먹어야 하고, 자식 교육비는 부모가 내야 한다고 생각한다. 그래서 이런 사람들은 의무교육을 내세우면서 "왜 학생 교통비는 지원해주지 않는가" "독일이나 프랑스에서는 대학교육까지 '무상'으로 시켜주지 않는가" 같은 질문을 던지는 사람들을 난감해할 것이다. 교육비를 개인이나 가족이 부담해야 한다고 굳게 믿는 이들에게 고등교육까지 세금으로 충당하는 유럽 국가는 모두 사회주의로 보이기 때문이다.

그래서 한국의 노인들이 "옛날 생각해보면 이 정도의 복지도 충분하거나 오히려 과도하다"면서 정치권을 비판하고 정부의 어려움에 대해 걱정(?)하는 상황도 이상하지 않다. 즉 "내 능력, 부모의 능력으로 공부 잘해 좋은 대학 가서 출세했고, 돈 많이 벌었으니 그것에 대해 시비 걸지 말라"는 것은 한국의 부자나 엘리트들만이 아니라, 그 반대편에 있는 사람들도 갖고 있는 생각이다. 한국 엘리트들의 이기주의와 공공심 부재는 여기서 온다. 국가 지원이 없고, 사회가 붕괴된 상태에서 자수성가했거나 반대로 실패한 사람들에게 '사회책임' '증세' 그리고 '교육 공공성' 논리를 설득하기는 매우 어렵다.

지금 우리는 교육의 공공성 문제와 그것을 위한 증세·복지 문제를 근본에서 다시 논의해야 할 시점에 섰다. "증세 없는 복지는 허구"라는 새누리당 유승민 원내대표의 연설에 야당까지 칭찬을 했지만, "왜 내가 세금을 더 내야 하는가"라는 국민들의 질문에는 아직 합의된 대답이 없고, 당장 유리지갑 월급쟁이들은 늘어나는 세금에 뿔이 나게 마련이다.

이 딜레마를 돌파하기는 매우 어렵지만, 나는 한국 사회에 만연한 '능력주의'라는 신화를 문제삼는 데서 시작해야 한다고 본다. "높은 산은 홀로 높을 수 없다"는 말도 있다. 고봉준령이 있어야 최고봉도 있는 법이므로, 세상 그 어느 산도 평지에 돌출할 수가 없다는 이야기다. 미국 교육제도와 사회 환경이 있었기에 빌 게이츠가 나온 것이지, 그가 혼자 뛰어나서 그렇게 된 것이 아니다. 가족의 '한솥밥'만 먹은 사람은 오직 효도만 중시하겠지만, 사회의 '한솥밥'을 먹어본 사람은 성공의 열매를 개인과 가족만이 누리려 하지 않을 것이다. 중산층의 소비능력이 있어야 대기업도 살고, 대학의 기초학문 토대가 있어야 과학기술의 축적도 있는 법이다. 노동능력이 없는 노인들을 배려하는 것이 세금 낭비가 아닌 이유도 국가가 약자를 내버리지 않는다는 신뢰를 국민들에게 심어주기 때문이다. 그러한 신뢰가 있을 때 사람들은 세금을 내려 할 것이다. 국가나 사회가 개인이나 기업의 능력 발휘의 조건을 보편적으로 제공해준다는 확신이 있으면 증세도 더욱 탄력을 받을 수 있을 것이다.

오늘의 한국은 자수성가하거나 개천에서 용이 날 수 있는 사회가 아니다. 이미 부모의 재력이 자식의 교육 성취에 결정적인 영향을 미쳐서 계급이 세습된다는 보고는 넘쳐나고 있다. 또한 여성의 경제활동 참여로 가족이 자녀를 돌보기는 더욱 어려워졌다. 그래서 국가나 사회가 복지에 적극 개입하지 않거나 교육 공공성 확보를 위한 지출을 늘리지 않는다면 불평등이 더욱 고착화되어 사회는 파괴될 것이고 잠재력을 가진 청소년들은 버려질 것이다. 타고난 배경과 가족 경제력의 영향을 줄일 수 있어야 좋은 사회가 된다.

2015-04-14

대학입시라는 덫

수능이 끝나자 어김없이 출제 오류가 드러나고, '물수능' '불수능' 논란이 제기된다. 그런데 문제를 비틀어서 다섯 개 중 하나의 답만 맞히라는 시험에 과연 100% 정답이 있을까? 이런 수능에서 '오류' 논란은 예고된 것은 아닐까? 특히 '물수능' 공격은 상위 1~2% 학부모들의 관심을 표현한 것인데, 그렇게 말하는 사람들은 결국 변별력이라는 명분으로 본고사를 부활하자는 이야기가 하고 싶은 것일 게다. 모든 사람이 "수능 이대로는 안 된다"고 말하지만, 그렇게 말하는 이유와 대안은 완전히 다르다.

'미신'은 자연력이 인간의 운명을 지배하던 시대의 일이라고들 말하지만, 문명사회에서도 인간이 만든 세상을 마치 불가항력의 자연처럼 믿고 따르는 일이 있는데 한국에서는 '일류대학'이라는 미신이 바로 그것이다. 어쩌면 상당수의 학부모들은 남들이 모두 '거름 지고 장에 가니' 자신도 '거름 지고 장에 갈 수밖에 없다'고 습관처럼 수천만원을 사교육과 대학 등록금으로 쏟아부을 것이다. 64만명의 수험생(2015년 기준) 중 63만명은 최상위 1만명들의 '게임'에 들러리 서고, 그 1만명의 지위 세습을 위한 게임에 온 국가와 사회가 심각한 홍역을 치르고 있는지도 모른다.

오늘날 중고등학교는 '교육 불능' 상태가 된 지 오래고, OECD 국가 중 행복감이 가장 낮은 수백만명의 청소년들에겐 학교가 감옥이며, 그들이 가정 경제를 마비시키면서 대학 졸업장을 딴다 해도 실업자로 전락할 확률은 여전히 높다. 그런데 혹독한 입시경쟁의 승리자들은 과연 행복할까? 서울대 학생들 중 약 7%가 자해 또는 자살 충동을 느낀다는 연구 결과가 있고, 3~8%의 학생들은 전문적인 도움이 필요한 상태이며, 수백명이 여러 이유로 자퇴를 한다고 한다.

나는 한국의 소위 일류대학이 잠재력은 있으나 입시 성적은 떨어지는 학생들을 잘 교육해서 국가나 인류문명에 기여할 수 있는 인재로 길러내야 진정한 일류가 될 수 있다고 생각한다. 성적 우수 학생 싹쓸이하는 데 온 신경이 곤두서 있는 '학부' 대학은 우리의 대안이 아니다. 더구나 지식융합·지식팽창의 시대, 세계 유명대학 교수들의 강의를 온라인으로 들을 수 있는 시대에 지금과 같은 한국의 대학이 30년 이후에도 남아 있을지도 의문이다.

무엇을 어디서 어떻게 시작해야 할지 참으로 난감한 문제다. 그러나 사람이 만들어낸 세상을 사람이 못 바꾼다는 것이 말이 되는가? 나는 한국에서 교육 문제는 노동 문제와 동전의 양면을 이루고 있다고 본다. 노동의 가치를 존중하고 땀 흘리는 노동자를 사람대접하는 일이 대학 문제, 곧 교육 문제 해결의 기본 원칙이요 길이라는 것이다. 결국 문제 해결은 노동시장에서의 학력별 임금격차 축소와 차별 철폐, 공기업이나 대기업의 고졸자 특례 채용의 활성화 등을 통해 대학 진학의 유인을 확 줄이는 일부터 시작해야 한다고 생각한다.

수능은 기초학력 평가 정도의 시험으로 정착시키고, 내신 성적으로만 단일화해서 입학생 선발을 하되 졸업정원제를 실시해서 대학을 학문하는 곳으로 만들어야 할 것이다. 그리고 지방 국립대학을 무상으로 하고 계층 할당을 확대하여 잠재력 있는 학생을 흡수하되, 전국의 모든 국립대학을 통합운영해서 학생, 교수 이동을 활성화하여 자연스럽게 특성화하는 한편 서울대의 학부는 없애고 대학원대학으로 육성해야 한다. 전국 단위 대학평가는 대학 단위가 아니라 학과 단위로 해서 지원을 차등화하면 학벌·간판의 폐해도 줄일 수 있다. 학령인구가 크게 줄어드는 시대에 상당수 대학은 이제 평생교육기관으로 기능해야 할 것이다.

'대입성적=능력=높은 보상'이라는 신화에 사로잡힌 기성 세대, 특히 우리 사회의 상층 사람들의 생각과 기득권을 건드리는 것이 쉽지 않다. 그러나 '그분들의 게임'의 허구성을 간파한 청소년들이 이미 거리에 넘쳐난다. 국민의 99%가 피해자인 대입·교육제도를 근본적으로 혁신하기 위해서 국민들이 주체로 나서야 한다.

2014-11-25

피케티 열풍과 이론의 빈곤

누진세, 부의 세습 금지, 사교육비 경감 등을 대안으로 제시하는 피케티Th. Piketty의 목소리가 한동안 큰 반향을 일으켰다. 이명박 정부 시절, 마이클 샌델 신드롬이 재연된 것 같다. 재계가 총동원되어 피케티 열풍을 차단하기 위해 세미나까지 여는 진풍경이 연출되었지만 피케티는 고국인 프랑스에서 이 정도의 관심을 받지는 못했고, 샌델 역시 미국에서는 수많은 철학자 중의 한 사람에 불과했다.

사실 대안으로만 보면 피케티의 주장은 그리 새로운 것은 아니며 그의 저서 『21세기 자본』(글항아리 2014)에 한국의 사례는 거의 포함되지도 않았다. 당연한 이야기지만 한국의 사정은 한국 경제학자들이 더 잘 안다. 김낙년 교수 등은 이미 한국도 상위 10%가 부의 45%를 차지하는 심각한 불평등 국가라고 주장했으며, 다른 경제전문가들도 한국의 심각한 부의 집중, 분배구조 악화를 비판한 바 있다.

그런데 우리 사회가 국내 연구자들의 비판이나 대안에는 귀를 막고 있다가 외국 학자의 같은 주장에는 엄청난 관심을 보이는 이유는 무엇일까? 물론 한국 경제학자들이 그 정도의 국제비교나 이론적 천착을 통해서 체계화된 분석과 대안을 내놓지 못한 점이 큰 이유일 것이다. 또한 극좌파나 사회민주주의적인 주장까지도 '외국인의 것'이라면 귀를 솔깃해하는 우리 사회의 지적 사대주의도 한몫했을 것이다.

과연 우리나라 경제학자들이 이들보다 애초부터 능력이 모자라고 공부가 부족했을까? 현재 인구 대비 미국 유학 경제학자 수는 아마 한국이 세계 최고일 것이다. 세계 어떤 나라도 한국만큼 수도권의 주요대학이 미국 학위를 받은 경제학자나 사회과학자로 일색화된 나라는 없다. 그런데 한국 경제학자들은 한국경제를 연구하지 않는다는 지적이 오래전부터 제기되었고 제도권 학계에서도 비판적 경제학자는 거의 찾아보기 어려운 실정이다.

즉 한국에서는 성장주의나 신자유주의와 거리를 두면서 분배와 불평등 문제를 연구하고 대안을 내놓을 수 있는 사람이 학계에 아예 진입하기 어렵고, 이런 문제에 대한 정부나 기업의 연구비 지원은 당연히 없으며, 피케티처럼 지난 세기 경제사 자료를 축적하고 작업을 지속할 수 있는 민간연구소나 재단 하나 세울 수 없다. 피케티와 유사한 입장의 젊은 사회과학자들은 오늘도 이 대학 저 대학 전전하면서 강의로 생계를 유지하기에 바쁜 대학의 주변인들이다. 그 결과 한국에서는 피케티와 같은 주장이 공론장에 나오기 어렵다. 한국에서 재벌 지배구조를 비판하는 사람은 학계 아니 국가의 '적'으로 지목된다. 그래서 한국인들은 한국 사회의 문제점과 대안을 오직 외국 학자의 목소리에서 찾게 되었다.

조선 후기의 문인 계곡 장유張維는 "중국의 학술은 다양하다. 정학正學, 유가儒家의 학문이 있는가 하면 선학禪學, 불가佛家의 학문과 단학丹學, 도가道家의 학문이 있고, 정주程朱, 정자程子와 주자朱子를 배우는가 하면 육씨陸氏, 상산象山 육구연陸九淵를 배우기도 하는 등 학문의 길이 한 가지만 있는 것이 아니다. 그런데 우리나라의 경우는 유식, 무식을 막론하고 책을 끼고 다니며 글을 읽는 자들을 보면 모두가 정주程朱만을 칭송할 뿐 다른 학문에 종사하는 자가 있다는 말을 들어보지 못하였다. (…) 중국에는 학자가 있는 반면에 우리나라에는 학자가 없기 때문이다"라고 일갈한 적이 있다.

지금은 과연 다른가. 국가에는 오직 하나의 입장만 있어야 한다고 국사 교과서를 국정으로 만들겠다는 나라에서 무슨 이론, 정책 논의가 가능할 수 있을까. 재단 이사장이 전권을 행사하는 사학에서 교수는 그저 그의 눈치를 봐야 하는 종업원과 같은 존재다. 주류에 비판적인 소신을 가진 사람이 반역자 취급당하는 나라에서 다양한 이론과 정책대안이 꽃필 수 있을까. 이미 IMF 이후부터 본격적으로 제기되어 빨리 대안을 찾아야 할 의제, 즉 경제민주화, 보편적 복지, 건전재정, 저출산 고령화에 대비한 사회정책 등은 박근혜 정부에서는 아예 공론의 장에서 자취를 감추었다. 여당은 70년대식의 성장론에서 한걸음도 나아가지 못했고, 야당은 대안담론을 키울 생각도, 그것을 담을 그릇의 역할도 포기했다.

과연 신자유주의가 신흥종교가 된 지금의 한국이 조선을 패망으로 이끈 주자학 교조주의·획일주의와 뭐가 다른가? 이론과 정책의 백가쟁명을 질식시키는 냉전식의 흑백논리, 반대파를 압살하는 이론·사상의 일색화와 자본의 사회적 지배에서 벗어나지 못하는 한 우리 사회는 지적·문화적 후진국 상태에서 벗어나지 못할 것이고, 지적 후진성은 정치와 정책의 후진성으로 곧바로 연결될 것이다. 세월호 이후 한국 사회의 총체적 위기는 '안보'와 '성장' 외에 모든 비판 담론을 질식시키는 '이론' 무시의 지배질서가 만들어낸 것이다.

2014-09-23

3부

국가가 정치를 만났을 때

사람도 없는데 철도만 깔면 뭐하나

2019년 1월 정부는 국토 균형발전과 지역경제 활성화를 위해 22개 사업 약 20조원 규모의 예비타당성조사(예타) 면제 사업을 발표했다. 문재인 정부는 균형발전을 위해 지역의 혁신클러스터 조성에 큰 힘을 기울이고 있는데 문제는 이명박 정부가 지역경제 활성화라는 명목으로 추진했던 개발주의 기조의 사업에 예타 면제 정책이 그대로 적용된다는 점이다.

'예타' 면제는 일종의 비상사태에 대처하는 긴급조치다. 국가적으로 긴급하게 요구되는 사업에 경제성과 절차를 생략하고 추진하는 일종의 정치적 결정이다. 지역 균형발전과 지역경제 활성화는 긴급조치를 취해야 할 영역은 맞다. 그런데 지역 붕괴만이 비상사태이고 긴급조치의 대상일까? 저출산·고령화, 망국적 입시전쟁, 높은 자살률, 주거 빈곤 등도 20년 동안 국가 '비상사태'였으나, 이런 사안은 '표'가 되지 않는다는 이유로 '긴급조치'의 대상에 포함되지 않았고, 사태는 악화되는 중이다. 즉 지역의 붕괴는 지역만의 문제가 아니라 사실상 국가의 지속 가능성 문제, 수도권의 삶의 질 저하와 같은 현상을 불러온다. 재벌에 혜택 주고, 서울 집값 지켜주고, 수도권 주요대학 더 밀어준 결과가 이렇게 나타난 것이다.

과연 철도, 공항과 도로 건설 예타를 면제하면 지역 균형발전이 이루어질까? 이명박 정부의 4대강 사업에 쏟아부은 돈은 어디에 사는 누구에게 갔고, 어느 정도의 지역 고용을 창출했을까? 사회간접자본 투자는 과연 지역경제를 활성화하여 수도권 집중을 완화했던가? 텅 빈 공항, 차가 다니지 않는 도로를 유지하는 데 들어가는 비용은 누가 부담하는가? 수도권 집중을 억제하는 정책 없이 지방의 발전이 가능할까?

모두가 알고 있듯이 지역 붕괴는, 수도권으로 돈과 사람이 집중되기 때문이다. 가히 청년 엑소더스라 부를 만한 현상이 20년째 진행중이다. 일자리와 교육이 가장 중요한 요인이고, 공공서비스와 문화 불균형도 엑소더스의 주요 요인이다. 고속철과 도로가 깔리면 서울 사람들이 지방에 내려가기에 편해질 따름이지, 지방의 중소 병원·백화점·가게는 문을 닫는다. 문재인 정부 출범과 더불어 시작된 서울 부동산 폭등으로 지역사회의 돈 있는 사람들이 서울 아파트 사재기에 나섰기 때문에 지방의 돈줄은 더 말랐다.

즉 수백조원의 지방 돈이 수도권으로 빨려 들어갔고, 일자리는 거의 수도권에서만 구할 수 있는 상황에서 예타 면제 20조원이라는 돈을 지방에 쏟아부어도 '언 발에 오줌 누기' 정도에 불과할 것이다. 노무현 정부 이후 공기업 지방 이전은 취지는 좋았으나 아파트만 논바닥 위에 덩그러니 서 있는 혁신도시로는 지역경제에 활력을 줄 수 없다. 지금 한국의 지역사회는 청년이 살 수 없는 곳이고, 젊은 부부가 애를 낳고 키우기 어려운 곳이다.

지방에서 우수하고 창의적인 인력을 구할 수 있다면 기업들도 내려가지 않을까? 대학과 기업이 혁신산업 중심의 클러스터를 구축하고, 지방의 실업고, 이공계 대학생들에게 무상으로 혁신 창업교육을 시키고, 이후 취업 때 혜택을 주면 지역 청소년들이 구태여 서울의 대학으로 올라오려 할까? 양질의 공공병원을 세우고 귀촌 지원 정책을 펴면 청장년들도 고향에 내려가지 않을까? 한국의 수도권 집중은 주로 교육과 일자리 때문에 생긴 것인데, 교육 문제, 특히 대학의 질적 제고 문제는 하나도 건드리지 않고 지역사회가 과연 살아날까?

촛불의 힘에 의해 집권한 문재인 정부가 과거 정부와는 질적으로 다른 지역정책을 펼 것이라 기대했던 국민들의 실망이 크다. 지역의 균형발전을 개발주의 토건경제 방식으로 진행하는 것은 국가를 새롭게 하는 일과는 거리가 멀다. 더구나 돈과 사람의 수도권 유입을 사실상 조장하는 정책을 펴고서 균형발전을 말하는 것은 더욱 앞뒤가 맞지 않는다.

이런 사업에 예타 면제를 하는 것은 소신 있는 공무원과 전문가들을 설득하기 어렵다. 당장의 선거에서는 득을 볼지 모르나, 더 큰 짐을 남길 가능성이 크다. 가장 큰 후과는 바로 정치권과 공권력에 대한 불신이다. 토건사업은 반드시 심각한 부패, 막대한 거래비용, 갈등처리 비용을 낳는다.

청년들이 지방으로 내려가도록 하는 정책이라야 성공할 수 있다. 혁신 중소기업 지원, 높은 수준의 지역 전문대학과 4년제 대학 육성, 산학 연계, 좋은 공공인프라 구축 없이 수도권으로 향하는 청년들의 엑소더스를 막을 수는 없을 것이다.

2019-02-12

저출산,
총체적 국가실패의
산 교과서

한국의 2017년 합계출산율은 1.05명. 신생아가 35만명대로 내려앉았다. 한국 역대 최저를 기록했을 뿐 아니라* OECD 국가 중 압도적 꼴찌다. 산부인과, 유치원, 예식장, 학원만 문을 닫는 것이 아니라 소비가 죽고, 시장이 문을 닫고, 지방도시가 소멸하고, 연금이 빨리 고갈되는 등 국가 대재앙이 다가온다.

한국은 이미 1983년부터 합계출산율이 인구 현상유지를 위해 필요한 2.1명 이하로 떨어지기 시작했다. 그런데 어처구니없게도 1995년까지 정부는 '산아제한' 정책을 펴다가 외국 전문가들의 비판을 받고서야 '출산장려' 정책으로 전환했다. 사

---

* 2018년 합계출산율은 처음으로 1.0 미만으로 낮아져 0.98을 기록했다.

실 출산장려 정책은 이미 1980년대 중반에 세웠어야 했는데 그후로 20년이 더 지난 2005년이 되어서야 저출산고령사회위원회가 설치되어 정부 차원에서 대처하기 시작했다.

그런데 2006년부터 2017년까지 100조원 이상의 예산을 저출산 대책에 쏟았지만 그 돈은 거의 허공으로 날아갔다. 정책 효과로 따지면 노무현 정부 이후 역대 정부의 저출산 정책과 재정지출이야말로 이명박 정부의 4대강 정책을 능가하는 총체적 실패다. 문재인 대통령도 저출산 문제의 심각성을 인정하고 "기존 생각과 정책을 넘어서자"고 촉구했다. 그러나 현 정부가 내놓은 일·생활 균형, 안정되고 평등한 여성 일자리, 고용·주거·교육개혁 등의 정책도 여전히 '구두 신고 발바닥 긁는' 대책 같다.

저출산은 양성평등, 보육과 교육, 고용, 주거 등 거의 모든 사회·문화·경제가 집약된 사회 문제의 종합판이다. 산업화와 여성의 사회 진출이 본격화된 이후 서구의 모든 나라는 이 문제를 겪었고, 그 과정에서 어느 정도의 성과를 이뤄내기도 했다. 심각한 직장 성차별, 가족 중심주의와 혼외 출산을 죄악시하는 한국 특유의 역사문화적 조건을 제외한다면, 한국의 저출산 원인은 다른 나라와 크게 다르지 않다.

한국의 저출산은 결혼 기피와 결혼 후 출산 기피 두 가지 원인이 결합된 것인데, 한마디로 말하면 한국 청년들이 '아이를 기르면서 살아갈' 미래를 기약할 수 없는 사회가 되었기 때문이다. 즉 보육 부담, 일자리 불안, 주거 부담, 사교육 부담이 복합 누적적으로 작동하는 무한경쟁의 한국 사회에서 청년들이 '개인적으로' 합리적인 선택을 했기 때문에 초저출산 현상이 나타난 것이다.

여기서 더 결정적인 이유는 결혼 기피, 결혼 불능이다. 기존의 여러 조사에 의하면 유배우 출산율은 그리 낮지 않으며, 미혼·비혼이 저출산의 더 근본적인 원인이라고 한다. 그리고 소득 분포상 상위 10%의 결혼 비율은 82%지만 하위 10% 청년들 중 7%만 결혼한다고 하니, 빈곤과 경제불안 때문에 청년들이 가족 질서 밖에 머물러 있는 셈이다. 결국 고용·주거·교육에서의 양극화·불평등의 심화는 결혼 및 출산에 매우 심대한 영향을 주는 거시구조적인 조건임이 분명하다.

하지만 지난 20년간 정부의 경제사회 정책은 그 반대로 진행되었다. 특히 부동산 부양浮揚, 보육과 교육의 사적 부담 확대는 결혼을 미루거나 포기하게 만든 대표적인 정책이었다. 그러니 출산 지원, 난임시술 지원, 양육수당 증액 등의 정책은 거의 '언 발에 오줌 누기'에 불과했던 것이다.

사실 지금까지 정부나 정치권은 문제의 핵심을 건드리지 않았을뿐더러, 의도적으로 직면하지 않으려 한 인상도 있다. 좀 더 일찍 제대로 실행했으면 수십조원으로 성과를 볼 수 있었을 일을 이제는 수백조원의 예산을 쏟아도 해결하기 매우 어렵게 되었고, 급기야 경제 붕괴와 국가 붕괴를 걱정할 지경까지 왔다. 이것은 국가의 지속 가능성과 미래를 위해 그 아무리 중요한 사안이라 하더라도 정치-정부-정책이 제대로 작동하지 않으면 참담하게 실패할 수 있다는 것을 보여주는 사례다.

이미 1930년대 저출산에 직면했던 스웨덴 집권 사민당은 경제학자이자 사회학자인 뮈르달G. Myrdal을 중심으로 당 차원의 대책을 수립했으며, 결국 사회구조 전체의 개선을 위한 '예방적 사회정책'의 개념으로 아동수당, 주택보조금, 무상보육 등의 정책을 시행했다. 그 결과 스웨덴은 출산율 제고만이 아닌 복지국가라는 '집'을 지을 수 있었다. 정책 정당, 책임있는 관료 집단, 그리고 공익 연구생태계 조성만이 문제 해결의 길이다.

2018-08-15

종전, 정상국가의 주권자가 되는 길

역사적인 싱가포르 북미 정상회담에서 김정은 위원장은 '우리 발목을 잡는 과거' '그릇된 편견과 관행'을 끊어버리고 이 자리에 왔다는 점을 강조했다.

그가 말하는 '과거'에는 여러 가지 의미가 깔려 있겠지만, 남북한이 적대적으로 맞선 채 북한을 '정상국가'의 길로 나아가지 못하게 만든 반미·핵개발·군사주의의 족쇄를 의미하는 것이 아닌가 생각한다. 핵 보유는 트럼프를 회담장으로 이끌어내 북한의 체제보장을 얻어낼 수도 있지만, 북한 인민들의 삶과 행복을 보장해주지는 못한다는 것을 김정은은 잘 알고 있다.

그런데 '발목을 잡는 과거' '그릇된 편견과 관행'은 북한에만 있는 것일까? 김정은을 북미 회담에까지 나오게 만든 것은 남한 내의 유사한 '편견과 관행'과 단절하려는 문재인 대통령의 의지에서 왔고, 그 의지는 바로 한국 촛불시민이 준 것이다. 절대권력자 김정은은 개인적으로 결단을 했을지 모르나, 문재인 정부의 남북정상회담 추진과 북미 정상회담 매개자 역할은 바로 냉전과 분단을 이용해온 세력들이 저지른 탈법과 부정, 권력농단을 도저히 눈 뜨고 볼 수 없다는 촛불시민의 분노가 집약된 결과인 것이다.

그러나 한반도는 물론 주변국에는, 여전히 이 전쟁 상태라는 비정상을 '정상'으로 여기는 기득권 권력이 확고하게 구축되어 있고, 이들은 한반도의 평화 움직임마저 흔들어댄다. 미국의 군산복합체와 공화·민주 양 기득권 세력, 일본의 우익 보수 세력은 한반도 전쟁과 긴장의 수혜자들이다. 그들의 지속적 선전과 교육에 세뇌된 한·미·일의 노년은 대체로 지난 한 세기 동안 일본과 미국이 한반도에서 무슨 일을 했는지 제대로 알지 못한다.

지난 지자체 선거에서 자유한국당은 "나라를 통째로 넘기시겠습니까"라는 구호로 선거에 임했는데, 선거 결과 대구·경북과 제주도만 남기고 모든 광역자치단체가 '파란색'으로 칠해지자, 홍준표 대표는 "나라가 통째로 넘어갔다"고 일갈하고 대표직을 사퇴했다. 70년의 분단과 적대는 그들에게 마르지 않는 꿀단지를 제공해주었지만, 꿀단지가 깨어지자 '나라'가 망했다고 외친 셈이다.

그런데 지난 70년 동안 사실상의 전쟁 상태는 북한만을 비정상국가로 만든 것이 아니다. 남북한은 거울에 비친 '나'처럼 서로를 마주보고 서 있는 상태로 존재했기 때문에, 내가 움직이면 거울 속의 나도 움직였다. 그리고 양쪽의 권력자들은 다른 쪽의 위협을 내 권력을 정당화하는 명분으로 활용했다. 한국에 북한은 나와 무관한 타자가 아니라 나의 존재를 규정해왔고, 사실 내 속에 스며들어와 있는 존재였다.

북한이 정상국가로 가면 당연히 남한도 정상국가로 가야 한다. 간첩조작, 색깔시비, 공안몰이, 블랙리스트, 국정원의 국내정치 개입, 국가보안법, 이 모든 것이 과거의 유물들이다. 그러나 이것은 누구나 알고 있는 비정상국가의 첫번째 목록에 불과하다. 이런 1차 비정상성에 의해 만들어진 2차 비정상성이 있다.

그것은 바로 민주주의의 결손, 안보와 북한 위협을 명분으로 한 모든 형태의 특권 체제다. 정치권과 사법부의 과도한 특권, 매우 약체화된 시민사회, 지방의 식민지화, 재벌·사학·대형교회의 세습 등은 분단이 만든 신봉건주의, 즉 '헬조선'의 특성이었다. '북한 사회주의'라는 유령을 들먹이며 누려온 한국의 모든 특권 질서가 바로 비정상의 둘째 목록들이다. 조물주 위에 건물주를 앉힌 지금까지의 법과 행정은 '사유재산'의

'자유'를 종교의 차원까지 승격시킨 특권 체제의 결과다.

'핵·경제 병진' 노선에서 '경제 제일주의' 노선으로 확고하게 전환한 김정은의 절박함보다 어쩌면 한국의 '을'들이 더 절박한 상태에 있을지 모른다. 한국의 성장주의, 물질주의, 재벌 몰아주기, 저복지, 공공영역의 취약성 등 '사회'의 실종으로 한국의 청년과 노년은 물론 중년을 포함한 모든 세대는 행복하지 않다. 종전과 평화가 이러한 경제 문제를 당장 해결해주지는 않을 것이다. 그러나 종전은 북한뿐만 아니라 남한의 주민들이 주권자로서 존중받고 인간대접을 받으며 살 수 있는 세상으로 나아가는 첫걸음이 될 것이다.

종전은 한국전쟁만 끝내는 것이 아니라 남북이 함께 '정상국가'로 가는 길이며, 일본을 포함한 동아시아 민중들이 정상국가의 '주권자'가 되는 길이다.

2018-06-19

이상한 나라 북한?
더 이상한 나라
한국?

미국 중앙정보국CIA 관리가 북한 김정은은 '미친놈'이 아니라 체제 생존이라는 장기적이고 분명한 목적을 지닌 '합리적 행위자'라고 하자 미국 언론이 이를 크게 보도했다. 서방 언론은 3대 세습과 개인숭배가 유지되는 북한, 수많은 주민을 굶겨죽이면서도 핵실험을 하는 북한을 상식적으로 이해할 수 없는 나라라고 생각해왔고, 김정은을 거의 '미친놈' 취급해온 것이 사실이다.

그렇다면 미국은, '합리성'이 그들 서구인의 독점물이 아니라는 것을 인정한 것일까? 김일성 사망 직후 북한이 곧 붕괴될 것이라는 판단, 중국이 강하게 압박하면 북한이 중국을 고

분고분히 따를 것이라는 생각, 경제 압박을 더 강하게 해서 북한이 궁지에 몰리면 항복하고 나올 것이라는 생각도 고칠 의사가 있는 것일까?

미국의 대북관은 약간은 '의도된 무지', 즉 북한의 핵개발을 적절히 방치하면서 동북아에서 긴장을 유지하려는 속생각을 감춘 혐의가 있다. 사실 미국의 대북관은 그들이 한국전쟁 때 북한에 어떻게 했는지 잊어버렸거나 아예 '무지'한 상태에서 나온 것이다. 북한은 21세기에 존재하는 구시대의 낡은 '유격대 국가'다. 분단이 '민족해방' 담론을 유지시켰고, 미군에 의한 초토화의 기억이 대일 적대를 대미 적대로 굳히는 계기가 되었으며, 9·11 이후 미국의 이라크 선제공격, 리비아 붕괴가 북한을 핵개발의 길로 매진하게 만들었다. '풀을 뜯어 먹더라도' 핵개발을 해서 체제를 보장받고 지도력을 안정화하려는 김정은과 북한 핵심 지배층의 노선은 미국의 무지, 대화 거부, 혹은 의도적(?) 방치의 결과다.

북한과 미국이 아무리 막말을 교환하면서 전쟁 직전까지 가도 그들은 기본적으로 목표를 가지고 있고 시스템으로 움직인다. 물론 양쪽의 오판과 실수 때문에 전쟁으로 치닫지 않도록 한국은 모든 수단을 다 동원해야 한다. 그러나 만에 하나 전쟁이 발생하면 최대의 피해자가 될 한국은 과연 '시스템'과 목표를 갖추고 있는가? 국외자가 보면 사실 미국이나 북한보다도 역대 한국 정부가 더 이상할 것 같다. 한국의 군부 권력

층은 북한의 거의 40배 이상의 국방비를 지출하고도 자주국방을 못 이룬 채 미국의 바짓가랑이를 잡아왔다. 또한 우리는 동족상잔의 전쟁으로 인구의 10%를 잃었으면서도 또다른 전쟁 위기 앞에서 북한의 불장난을 자제시키고 트럼프의 막말 행진을 견제할 반전시위 하나 못하고 있다. 촛불의 동력으로 북한과는 아예 비교할 수도 없는 국제적 입지를 얻고서도 정부는 이런 상황에 개입할 여지가 없다고 스스로 위축된 모습을 보이니 더 안타까운 노릇이다.

지난 10년, 한국의 지도자들 중 북한 체제가 곧 붕괴하리라는 미국의 주류적 시각, 비핵화 없이는 대북제재를 풀 수 없다는 미국의 생각에 토를 단 사람이 있었던가? 중국을 계속 압박하면 북한이 중국 말 듣고 핵개발을 중단할 것이라는 생각이 틀렸다고 말한 적이 있었던가? '남한산성에 갇혔던' 인조의 '충신'들처럼 미국의 재조지은再造之恩을 복창하면서도, 한국전쟁기 미군의 무차별 폭격과 맥아더의 무리한 북진으로 남한 사람 수십만이 죽고, 수백만이 이산가족이 되었다는 것을 미국의 시민사회에 호소한 사람이 있었던가? 북한이 극약을 사용한다고 우리도 극약을 사용하면 둘 다 죽는다는 논리로 국민들을 설득한 적이 있는가? 한미 '공조', 혈맹 아무리 외쳐도 미국에 한국은 일본과 중국 다음의 부차적 변수이며, 트럼프는 오직 차가운 '돈 계산'만 하면서 한국을 대할 것이라는 전제를 공유하고 있는가?

약소국의 서러움은 약소국의 처지에 아무런 관심도 없고 지식도 없는 강대국의 정책에 의해 나라의 운명이 좌우될 수도 있다는 점에 있다. 결국 한국이 살기 위해서는 미국의 시각과 판단을 교정하고 여론을 바꾸는 작업을 우선하는 수밖에 없다. 한국이 한반도 문제의 '운전자'가 되기 위해서는 미국 사람들을 설득하고 생각을 바꾸도록 해야 한다.

미국과 달리 한국은 농담으로라도 전쟁을 입에 올릴 수도 상상할 수도 없다. 사드 배치, 개성공단 중단으로 인한 경제 위기, 국방비 과다 지출로 인한 복지 위기는 북핵 위기보다 더 심각한 국내 위기다. 우리는 단지 전쟁 반대가 아니라 어떻게 한반도와 동북아의 평화를 만들어나가고, 경제발전과 복지를 동시에 이룰 것인지에 대한 구상을 갖춰야 한다.

2017-10-10

조세냐 기부냐, 가족투자냐?

문재인 정부도 증세 카드를 꺼냈다. 증세 없이는 복지가 가능하지 않다는 시민사회 진영의 당연한 문제제기가 받아들여졌지만, 그 정도 증세로 복지국가 건설은커녕 대통령의 공약도 충족시킬 수 없다는 지적은 여전히 유효하다. 증세안이 나오자 '세금폭탄'론이 또다시 등장했다. 조세가 재산권 침해라 보는 세력의 힘은 여전히 막강하다.

성장을 통해 전체 경제 파이를 늘려야 하는 것은 당연하지만, 우리는 성장이 곧 고용과 복지로 이어지지 않는다는 것도 충분히 확인했다. 그래서 공공지출의 확대를 통해 고용을 증진하고, 국민의 삶의 질을 어떻게 향상시킬지, 장차 어떤 사회경제 시스템을 만들 것인지를 논의해야 한다. 그것은 누가, 얼마를, 어떤 방식으로 더 내서, 어떻게 사용할 것인가의 문제다.

한국의 조세부담률, 사회복지지출이 OECD 최하위라는 사실은 이제 상식이다. 세계 모든 사람들이 살기 좋은 나라로 지목하는 북유럽 국가는 모두 조세부담률과 공공사회지출의 비중이 매우 높다. 그리고 사회 양극화로 갈등이 심한 나라 대부분은 조세부담률이 낮은데, 그것은 국가가 국민을 위해 쓸 수 있는 재원이 부족해서 각자가 스스로를 책임져야 하기 때문이다. 그러나 이런 나라들은 취약한 복지를 자선과 기부로 메우기도 한다. 자본주의 국가들을 단순하게 분류하면 높은 조세로 공공복지를 유지하는 나라와, 낮은 조세로 인한 사회 파괴의 위험을 자선과 기부로 막는 나라로 구분할 수 있을 것이다. 북유럽 복지자본주의가 전자라면 미국·영국 등 앵글로색슨형 자선자본주의는 후자에 속한다.

당연히 중북부 유럽 국가들이 삶의 질이 높고 사회통합성도 높다. 조세부담률이 낮다는 점에서 한국은 영미형 국가에 가깝지만, 자선이나 기부는 이들 국가와 비교할 수 없을 정도로 적다는 점에서, 아직 자선자본주의 반열에 들어서지도 못했다. 즉 복지·교육·의료·주거의 상당 부분을 사적으로 부담해야 하는 한국에서는 '능력 있는' 계층과 그렇지 않은 계층 간의 격차와 갈등이 매우 심각하다. 이른바 '수저 계급론'은 여기서 나온 것이다.

한국은 가족책임, 가족투자 국가다. 국가나 사회에 대한 낮은 신뢰 수준과 공공서비스의 부족이 가족주의를 강화해왔다. 큰 부자들이 반칙으로 돈을 벌어 세금도 내지 않고 사회적 책임도 지지 않기 때문에, 작은 부자들도 재산을 무조건 자식에게 물려주려 한다. 국가의 공공 인프라 확대로 거저 얻은 부동산 재산이 자녀들에게 편법으로 상속되는 것이 가장 정의롭지 않은 일이다. 재벌, 언론, 사학, 대형교회 등 사실상 공공적 성격을 가진 기관이 한 가족에게 독점·상속되는 행태는 한국 사회의 천박한 수준을 말해준다.

어쨌든 낮은 조세, 낮은 사회지출 국가인 한국이 하루아침에 유럽식 복지국가가 되는 것은 불가능하다. 그렇다면 중위 조세부담, 중위 복지국가를 지향하는 것이 맞다. 그리고 기부를 어렵게 만드는 제도와 법을 손봐서 '사회적 상속'의 관행을 확산해야 한다. 조세부담률이 높거나 기부가 활성화된 나라들은 모두 국민의 정치 참여율이 높거나 신뢰 수준이 높다. 즉 국민이 정치과정에서 배제되지 않고, 정부가 믿을 만해야 자발적으로 세금도 내고 기부도 한다는 이야기다. 작은 부는 노력과 행운의 결과지만, 큰 부는 모두 국가나 사회의 인프라로 얻은 것이라는 생각이 자리잡아야 할 것이다.

중위의 복지국가로 가기 위해서는 사법정의 수립, 행정의 공정성과 투명성 확립, 그리고 사회적 대타협이 필요하다. 대기업에 대한 각종 특혜나 조세감면 조치를 없애야 하고, 불로

소득을 엄격히 추징해야 하며, 불법·편법 상속 관행을 막아야 한다. 또한 국민의 80%는 지금보다 소득세와 소비세를 더 내야 하고 종합부동산세는 물론 토지보유세 도입도 적극 검토해야 한다.

한편 한국처럼 국가가 모든 것을 주도하는 나라에서는 사회적 역량 강화를 위해 자선보다는 공공영역에 대한 기부를 더 격려하고 활성화해야 한다. 문화인들이 정부 지원에만 의존할 경우 박근혜 정부의 블랙리스트 작성 같은 사건이 일어난다. 문화·교육·학술 영역의 재단 설립이 확대되어야 사회가 튼튼해진다.

정부는 조세와 기부를 점진적으로 높여 후진적인 가족투자 국가에서 사회연대 국가로 이행하기 위한 로드맵을 보여주어야 한다.

2017-08-08

입장 없는 정치

고故 신영복 교수가 남긴 말 중에 "입장의 동일함, 그것은 관계의 최고 형태"라는 말이 있다. 같은 입장을 갖는 것, 그것은 같은 철학과 가치관의 사람들이 동일한 목적을 향해서 함께 일하는 관계, 즉 동지同志라고 부르는 사이이며 주로 사회운동이나 정치활동을 함께하는 사람들 사이에서 나타나는 모습이다.

그런데 야당의 분열, 특히 과거 새정치민주연합에 몸담았다가 안철수의 국민의 당으로 가거나 심지어 여당인 새누리당으로 가는 사람들을 보면 그들이 그 전에 어떻게 같은 당에 있었는지 의심스럽고, 한국에서 정당은 입장이 동일한 사람들의 모임이 아니라 권력을 위한 도구일 뿐이라는 점을 새삼 확인할 수 있다. 90년 3당 합당과 같은, 정당정치에서는 도저히 있을 수 없는 사건도 있었지만, 박정희·전두환 정권하에서 민주화 운동에 앞장섰던 사람들이 아무런 해명도 없이 여당으로 들어간 일도 흔하다. 정치 선진국 같으면 모두가 당장 퇴출당할 대상이지만, 그들은 재선, 삼선의 관록을 자랑한다.

논어에 '군자君子는 화이부동和而不同하고 소인小人은 동이불화同而不和'라는 말이 있다. 군자는 남과 어울리지만 입장과 주관을 지키고, 소인은 무리를 지어 다니지만 불화를 일삼는다는 말이다. 즉 소인은 입장보다는 이해에 따라 움직이는 존재이므로 그들의 아첨이나 충성을 믿지 말 것이며, 군자의 주관과 소신을 무겁게 여기라는 말로 들린다.

이렇게 보면 한국 정치는 언제나 입장을 가진 '군자'는 보기 어렵고, 이익에 따라 이리 붙고 저리 붙는 '소인'이 살아남는 구조였다. 박근혜 대통령은 '입장'을 내세운 자기편 당 대표까지 따돌리고 내치지 않았는가. "친박, 진박, 비박, 친노, 반노, 진실한 사람, 의리 있는 사람, 배신, 의리…" 도대체 이게 무슨 어처구니없는 형용사들이며, 후진적 풍경인가.

'입장'이 아니라 칼자루 쥔 권력자와의 거리감이나 충성 여부로 정치가들의 소속이 분류되는 나라에서 무리를 이룬 집단 구성원 간에는 아무런 '관계'가 없을 것이며, 국민은 오직 선거 때만 필요할 것이다. 신영복식으로 다시 말하면 그것은 '관계의 최저 형태' 혹은 무관계다. 그들은 오직 자기를 위해 정치한다는 말이다.

한 언론사의 조사에 의하면 20대 총선 후보로 등록한 1,022명 중, 기업인은 노동자의 5배나 되고, 성공한 엘리트가 전체의 55%를 차지한다고 한다. 경제활동 인구의 대다수를 차지하는 노동자, 자영업자 중에서 후보로 등록한 사람은 전체의 10%도 미치지 못한다. 결국 55%의 후보자들, 즉 명문대 졸업장을 지닌 고위관리나 전문직 경력자, 그리고 몇억원 이상의 돈을 조달할 수 있는 사람이 또다시 국회의원이 될 것이다. 선거 이후 어떤 일이 벌어질지 보인다. 이런 경력과 조건을 가진 사람들이 국회의원이 되면 '입장'의 차이가 드러날까. 여야로 갈라져 있다 한들 실제 얼마나 다를 것이며, 경제·노동·복지 사안에 대해 다른 정책이 나올 수 있을까. 결국 '입장 없는 정치'는 '다른 입장이 진입할 수 없는 정치'의 결과일지 모른다. 그것은 엘리트 독재요 민주주의의 죽음이고, 민중의 항구적인 배제다.

정치가들의 탓만은 아니다. '입장'을 보기보다는 자신과의 친소관계, 지역·연고를 중시해온 한국 유권자들의 행태도 한몫했을 것이다. 그러나 무엇보다 다른 생각과 사상, 자유로운 의사 표현을 봉쇄하고, 노동운동을 불온시한 이 불모의 분단 냉전체제, 거대 여야의 정치 독점과 단순다수의 선거제도가 보다 근본적인 원인일 것이다. 정치이념의 스펙트럼 중 한쪽만 열어놓았으니 정치나 사회에서 학벌과 출신 지역이 제일 중요해지고, 무정견, 무입장, 복종형 인간만이 살아남게 된 것이 아닐까?

이런 나라에서 정당정치의 활성화는 물론 소신과 정견을 가진 정치 리더의 등장도 기대할 수 없고, 국가의 백년대계 구상은커녕 당장 '헬조선' 극복도 어렵다. 입장이 분명한 몇 소수정당이 힘 있는 제3당이 되거나, 제1야당이 획기적으로 변해야 세상이 바뀔 것이다.

그러나 당장 투표를 해야 하는 유권자들은 어찌할 것인가. 철학과 이해가 충돌하는 사안에 대해 후보자가 과거 어떤 '입장'을 취했는지, 그들의 경력을 보면서 그 입장이 그냥 머리에서만 나온 선거용 구호인지 '마음이나 발(체험)'에서 나온 것인지 판단해야 한다. '화장한 얼굴과 현란한 말'에 현혹되면 평생 노예 신세를 면할 수 없기 때문이다.

2016-01-26

아시아 속의 한국

2014년 독일에 체류하는 동안 여러 곳을 방문했고 좋은 사람들을 많이 만났지만, 그중 인상 깊었던 일 중의 하나는 쾰른의 '아시아재단'Asienstiftung 연례 발표회에 참석한 일이다. 학계, 언론계, 사회운동 관계자들이 모여 아시아 각국의 민주화 관련 현안을 놓고 토론하는 자리였다. 나는 한국 정치상황 관련 발표를 했고, 방글라데시 노동 문제를 다루는 분과에 참석을 했다. 통역에 의존했기 때문에 여러 분과나 종합토론에서 나온 이야기를 다 알아들을 수는 없었지만, 먼 독일에서 아시아 각국의 현안을 놓고 토론하고 대안을 함께 고민하는 자리가 있다는 것 자체가 매우 인상적이었다.

방글라데시 분과에서는 봉제공장 건물이 무너져 무려 1,000여명의 노동자들이 사망한 사건이 주제였는데, 모기업이 독일 회사였기 때문에 독일 연방정부나 의회에 압력을 넣어 피해자 보상 및 노동조건 개선에 나서야 한다는 논의도 있었다.

그런데 이 행사를 주관한 아시아재단, 그리고 연례 발표회의 가장 중요한 주체인 독일의 코리아협의회Korea Verband 모두 7,80년대 한국 민주화 운동을 크게 지원했던 독일의 프로이덴베르크G. Freudenberg 교수가 전재산을 기탁하여 세웠다는 이야기를 듣고 신선한 충격을 받았다. 그가 독일 재벌가 후손이라고는 하지만, 그래도 아시아 민주주의를 위해 이런 일을 했다는 이야기를 듣고서 새삼 독일이라는 나라의 힘을 실감했다. 독일에 광부나 간호사로 간 한국인들과 그 후손들이 3만여명이나 된다고 하고, 그중에는 자녀들이 경제적으로 성공한 사람도 있을 텐데, 한국·아시아 민주주의 지원 활동을 독일인의 후원에 의존한다는 점은 마음에 좀 걸렸다.

독일은 국가주의 전통이 강할 것이라는 선입견과 달리 민간재단, NGO 등의 활동도 매우 활발하다는 인상을 받았다. 독일에는 현재 민간·공공부문 포함 2,000개 이상의 재단이 있고, 베를린에만 정부·개인·기업이 출연한 수십 개의 크고 작은 재단이 독일 문제뿐만 아니라, 유럽연합 및 세계의 공적 현안에 대한 교육·연구 활동을 지원한다는 사실도 알게 되었다.

오래전부터 일본은 국가 차원에서 남아시아 여러 나라에

막대한 개발 원조를 해왔다. 물론 연구자들은 일본의 공적개발원조ODA 지원이 거의 자국의 이익을 위해 지출된다는 비판을 하기도 하는데 이미 30년대 만주 개발을 비롯한 제국 경영의 경험이 있는 일본에 그런 포석이 있으리라 짐작은 된다. 한편 최근 남아시아 거의 모든 나라는 급속하게 중국 경제권으로 편입되고 있지만, 중국이 그들 나라의 사회발전을 위한 지원 활동을 한다는 이야기는 들어보지 못했다.

독일 행사 참가 때도 계속 생각이 맴돌았지만, 아시아는 한국에 무엇인가, 그리고 한국은 다른 아시아 국가들에 어떤 존재여야 하는가 되묻는다. 많은 한국 드라마, 음악 등 한류의 진출은 크게 칭찬할 만하다. 한국 기업들이 베트남, 인도네시아, 캄보디아 등지에 진출한 것도 놀라운 일이다. 그러나 과연 아시아는 한국 기업들 돈 벌게 해주는 곳 이상의 의미로 우리에게 다가와 있는지, 우리 정부나 기업, 시민단체는 과연 식민지, 독재의 경험을 했던 동료의 입장에서 일본·미국과는 다른 아시아론을 품고 있는지 다시 물어본다.

타계한 싱가포르의 리관유 수상과 김대중 전 대통령 사이에 오고간 아시아 민주주의 관련 토론이 우리가 나름대로 의견을 제기했던 아시아론의 전부인 것 같다. 남북한 분단과 전쟁은 오직 미국의 시선으로만 아시아를 보게 만들었고, 북한을 적대하느라 우리 자신도 다른 것을 보지 못하는 냉전적 사시에 머물러 있는 것은 아닌가.

2015년, 베트남전 당시 피해를 본 베트남 사람들이 한국에 와서 한국군의 베트남인 학살을 증언하려 했지만, 참전자들은 행사 자체를 무산시켰다. 한국 등 아시아 국가에 저지른 잘못된 과거를 부인하는 일본의 전철을 따라가는 것 같아 안타까웠다. 그래도 일본에는 식견있는 아시아 및 한국 전문가, 한국의 민주화나 한일 과거청산을 위해 꾸준히 일해온 수많은 개인과 단체가 있어서 한국과 비교대상이 되지 않는다. 한국이 품격을 갖춘 나라가 되기에는 아직 멀었다는 느낌이다.

2015-04-14

소인정치와 유속

한국의 공공성이 OECD 국가 중 꼴찌라는 조사결과가 나왔다. 새삼스럽지도 놀랍지도 않다. 이 사회는 윗사람의 범죄에 눈을 감거나 그런 상관에게 충성하는 사람들에게 상을 주고, 조직의 진정한 명예를 위해 바른말을 하는 사람을 몰아낸다. 주요부서의 공직자들은 공익의 집행자가 아니라 정권의 하수인 역할을 요구받고 있다.

국정원 불법 선거개입 사건을 수사 지휘한 검찰총장이 찍혀서 쫓겨나고, 과거 국가범죄의 피해자에게 무죄를 구형한 검사가 오히려 명령 불복종으로 징계를 당하고, 경찰의 불법 대선 개입을 고발한 경찰간부가 사표를 쓰고, 군 내부의 부정과 비리를 고발한 엘리트 장교가 진급에서 탈락하고, 총리실 불법사찰을 고발한 양심적 공무원이 파면되고, 황우석의 거짓을 폭로하여 나라의 체면을 세웠던 소신 있는 방송사 PD들이 해고·좌천을 당했다. 자기 직업세계에서 동료들에게 존경받고 자신의 본분에 충실했던 사람들이 하나같이 조직의 '명예'를 훼손했다는 이유로 밀려나 수난을 당한 것이다.

그래서 나는 이명박 정권 후 지금까지 한국을 보면서 삼권분립, 법의 지배, 정당정치, 대의제를 기초로 한 어떤 서구 근대정치학 이론보다 유교문화권의 인성정치 이론이 우리 현실에 더 잘 들어맞는다는 생각을 해본다. 즉 사법부가 대통령과 힘 있는 집단의 이해를 벗어나지 못하고, 입법부나 정당정치가 거의 무기력화되며, 청와대와 공안기관이 모든 국내정치에 개입하는 현상을 그냥 민주주의 후퇴라고만 설명할 수는 없기 때문이다.

몇년 전 『교수신문』에서 그해의 정치를 집약한 단어로 당동벌이黨同伐異를 선정한 적이 있는데, 오늘의 정치와 사회를 이보다 더 잘 설명해주는 말이 없는 것 같다. 청와대와 집권여당, 국정원, 관료, 검찰, 언론 등 우리 사회의 가장 힘 있는 조직은 바로 '패거리를 지어 적을 토벌하는 것'을 제일의 행동 원리로 삼고 있다. 즉 권력집단이 공조직을 사유화하여 공조직이 더이상 공공성의 논리에 의해 움직여지지 않고, 자신을 위협하는 개인과 집단을 감시·탄압하고, 설사 범죄자라도 자기편이면 무조건 봐주는 패거리 집단의 행태를 보인다는 이야기다. 나는 이것을 '소인정치小人政治'라 부르고 싶다.

논어에는 '소인'의 특징을 논하는 수많은 구절이 있다. "군자는 두루 사랑하고 치우치지 않으며, 소인은 치우치고 두루 사랑하지 않는다.君子周而不比, 小人比而不周" "소인들은 허물이 있으면 반드시 꾸며서 합리화한다.小人之過也, 必文" "군자는 평탄하여 여유가 있고, 소인은 늘 걱정스러워 한다.君子坦蕩蕩, 小人長戚戚" 즉 소인들은 자기 이익이 행동의 동기이기 때문에 이익이 침해되고 권력을 잃을까 언제나 불안해하고, 공명정대하게 일을 처리하지 않았기 때문에 자신의 잘못을 지적하는 사람이나 조직을 원수처럼 미워한다. 또한 자신에게 아부하고 충성하는 사람만 편애하고, 자신의 허물을 절대로 인정하지 않으며, 기괴한 논리로 자신을 합리화한다.

인간 세상은 대체로 소인들이 성공하고, 그런 무리들에 의해 움직여지는 경향이 있다. 그러나 상을 받거나 발탁되어야 할 사람이 처벌당하고, 처벌당해야 할 사람들이 거꾸로 출세하면 사회와 국가는 지탱될 수 없다. 윗사람의 행동은 본이 되는 법이므로, 최상위의 소인정치 행태는 그 아래 모든 조직에 그대로 반영된다.

소인정치가 오래 지속되면 바로 19세기 조선의 문인 이응신李應辰이 그 시대를 묘사했던 '유속流俗' 현상, 요즘말로 하면 관료들이 공익을 버린 세상, 세상 사람들이 처세와 출세, 즉 '먹고사니즘'에 따라 행동하는 세상이 된다. 이런 세상에서는 전쟁이 나면 병사들이 총을 버리고 도망하거나 오히려 자기 상관을 향해 총을 쏘고, 경제위기가 오면 기업의 임직원들은 회사 비밀을 적대 기업에 팔아넘기고 이익을 챙긴다. 임진왜란, 병자호란, 한일강제병합, 한국전쟁, IMF 위기 직후와 같은 국가의 큰 난리를 통해 우리는 소인정치의 주역들이 백성을 헌신짝처럼 버리고, '유속'에 길들여진 백성들이 자신을 버린 나라를 어떻게 배신하는지 지켜보았다. 장차 국가대란이 또 닥치면 이러한 일은 거의 그대로 반복될 것이다. 아니, 세월호 구조과정에서 우리는 그것을 이미 보았다.

소인정치에는 진정한 외교·국방·민생의 철학이나 정책도 없다. '안보'와 '경제'가 하나의 '기호'처럼 아무런 감동 없이 떠다닐 뿐이다. 주변 강대국들은 2014년 현재 한국의 집권세력을 어린아이 취급하고 있다. 소인정치는 반드시 나라를 무너뜨린다.

2014-11-11

누가 이들을 괴물로 만들었나?

윤 일병 사건은 2014년 온 나라에 충격과 슬픔을 주었다. 여당 대표는 가해자를 '살인자'로 지목하면서 호통을 쳤다 하고, 일부 언론은 그의 질책을 아주 잘한 일인 양 부각시켰다. 살인죄를 적용하여 가해자들에게 법적 최고형을 내리자는 이야기도 나왔다. 그러나 내가 보기에는 모두가 본질을 회피한 쇼에 불과했다.

'구타 근절' 구호는 내가 군대 생활을 하던 30여년 전에도 언제나 귀 따갑도록 듣던 말이고, 그 표어가 붙어 있는 내무반 옆에서 나는 여러번 구타를 당하는 굴욕을 체험했다. 정부 수립 이후 지금까지 군내 구타는 한국군에게 거의 밥 먹는 일과 맞먹을 정도의 일상이었다. 물론 과거에는 잔혹성과 야만성이 덜했고, 가끔씩 옆에서 말리는 고참도 있었으며, 구타 이후 위로받는 일도 있었다. 그러나 근본적 메커니즘은 변하지 않았다.

대체로 지휘관인 장교들은 이런 일이 일어나는 것을 짐작하면서도 모른 체한다. 이들은 "부대가 잘 돌아가기 위해" 군기를 잡아야 한다고 생각하기 때문에 선임병들의 일탈적 행동을 묵인하거나 심지어 격려하기도 한다. '소원수리'를 통해 고발해도 동료나 고참들에게 완전히 따돌림당해 고통만 더 심해질 것을 너무 잘 알기 때문에 피해 군인들은 누구에게도 말하지 않는다. 언로가 완전히 막힌 폐쇄적이고 전체주의적인 사회에서 그 어떤 비인간적인 일들도 아무 일 없었던 것처럼 지나가고, 이런 조직에서 훈련받은 대한민국 남자들은 사회에 나와서도 권력에 순응하는 '비굴한 시민'이 된다.

이명박 정부의 '전투형 부대' 육성 정책으로 군은 완전히 과거로 되돌아갔다. 1950년대식 반공·반북주의 정치교육이 버젓이 행해졌고, 자유로운 분위기와 자기표현에 익숙한 지금 청년들로서는 견디기 어려운 상명하복의 규율이 강요되었다. 경쟁과 스트레스에 주눅들어 있고, 공감능력이 매우 약한 지금 청년들은 꽉 막힌 조직에서 점차 '괴물'로 변해갔다.

이념과 철학이 없는 군대, '애국'은 오직 구호뿐이고 실제로는 출세에만 관심 있는 장교들이 지휘하는 부대에서 '폭력'

외의 질서유지 수단은 없다. 내용보다 형식만 중시되는 군대, 돈 있고 힘센 사람들의 자식은 요령껏 모두 빠지는 군대, 충실하게 복무할 이유를 알지 못하는 군대에서 폭력 외의 무슨 언어가 먹힐 수 있을까?

물론 윤 일병 사건에서 나타난 가해 군인들의 정신질환적 행위나 잔혹성에 대해서는 별도의 조사가 필요하다. 과거의 구타가 고참병에 의한 일방폭력이었다면, 이번의 경우는 동료들의 '과도순응'에 의한 집단폭력의 성격이 강하다. 또한 잔혹행위에 대해 집단 내의 자제력과 견제력이 상실된 도덕 진공 혹은 해체 상황, 즉 인간 사회의 기본인 '차마 그렇게 못하는 마음不忍之心'이 완전히 사라진 병리 사회의 지옥과 같은 풍경을 보여준다. 이것은 과거 베트남전쟁 말기 미군들이 동료들에게 한 행동이나, 일본군·한국군이 민간인을 학살할 때 보여준 모습과 유사하다. 이 모두가 이념 없는 전쟁 혹은 비인간적 군 조직하에서 인간성을 부인당한 사병들이 상관 대신 약자인 동료와 민간인에게 행한 복수인 것이다.

극도의 스트레스에 사로잡힌 병사들이 약자인 하급자에게 화풀이하는 현실에서, 가해자 병사 자신들도 모두 희생자다. 이런 군대에 가지 않았다면 그들이 '괴물'이 되지는 않았을 것이다. 사실 비인간성과 잔혹성은 군대에만 있는 것이 아니라 돈 없는 약자들이 살아가는 모든 현장에서 다른 방식으로 매일 진행되고 있다. 과거에는 폭력이 사회의 주요 규율수단이었다면, 지금 사회는 오직 돈만이 인간관계의 유일한 매체라는 점이 다를 뿐이다. 폭력(명령)과 돈은 동전의 양면이고, 국민을 정신적으로 이끌 능력이 없는 한국의 권력자들과 군은 이 두 도구에 의존해왔다. 약자들 간의 잔혹성은 바로 강자들이 평소 약자들에게 가르쳐준 것들이었다. 괴물은 그들이 아니라 바로 이 국가와 사회다.

2014-08-05

통치 불능의 징후는 완연한데

세월호의 살아남은 아이들이 발이 부르트도록 백리길을 걸어 국회로 가고, 유족들이 진상규명 가능한 특별법 통과시켜달라고 국회 앞에서 피를 토하는 심정으로 단식농성을 하다가 쓰러져 병원에 실려가고 있다. 참사 이후 아무것도 달라진 것이 없고, 책임진 사람이 아무도 없다. 이 모습을 보노라면 이승만 독재 정권의 마지막 발악의 총탄을 맞아 불구가 된 4·19 부상 청년들이 목발을 집거나 붕대를 감고 국회에 난입하여 책임자 규명하라고 아수라장을 만든 장면이 기억난다. 독재의 하수인인 자유당 국회의원은 물론 이승만 퇴진에 털끝 하나 기여한 것도 없이 입 벌리고 감 떨어지기를 기다리던 야당 의원들도 그들의 적이었다. 그때의 통치 불능과 국가 부재 상태는 어이없게도 5·16 쿠데타로 마무리되었다.

박근혜 정권이야말로 통치 불능 상태에 빠졌다. 후임 총리를 찾지 못해 총리를 유임시켰는가 하면 국가를 바로잡겠다고 내놓은 장관감은 거의가 자격 미달 심지어 범죄 전력자들이다. 이는 울고 있는 국민들에게 주먹세례 퍼붓는 격이고 심각한 모욕을 주는 일이나 마찬가지다. 왜 이런 인사가 반복될까. 대통령이 자신에게 충성을 바칠 사람, 자신을 보호해줄 사람만 찾는다는 이야기다. 대통령은 최측근에 더욱 매달리고, 특별법에는 요지부동이며 어떤 정치 타협이나 탕평인사도 없었다. 정치가 실종되었다. 그래서 여당과 정부는 대통령 '안보'에만 사활을 걸고 있고, 야당은 차기 총선·대선만 의식하면서 현안 대응을 하지 않는다.

대통령이 이제 비판의 대상이 아니라 조롱거리가 되었으며, 경찰·검찰 등이 국민의 총체적 불신을 받는 세간의 정서가 통치 불능 상황을 웅변적으로 보여주고 있다. 유병언 사체를 발견했다는 정부 보도를 보는 국민들은 거짓말과 조작 전력자들이 하는 말을 믿을 수 없는 심정이다. 지도자나 국가기관이 조롱과 불신의 대상이 되면 국민들이 법 집행에 순응하지 않을 것이고, 공무원들이 더이상 협력을 하지 않을 것이며, 오직 질책당할 일만 피하려 할 것이다. 그렇게 되면 이 정권은 거의 그래왔듯이 오직 언론 통제와 이미지 관리를 통한 허구의 지지율 유지, 반대세력에 대한 겁박으로만 유지될 수 있다.

이 정부는 권력 창출기의 최대 약점, 즉 대선 과정에서의 국정원 불법개입 문제가 터지자 화들짝 놀라 온갖 무리수를 두다보니 무엇이 국가와 국민을 위해 다급한지 생각할 여유조차 없었고, 그저 정권 유지가 최대 목표가 되었다. 즉 집권세력은 통치능력을 거의 상실했지만 야당의 무능과 국민들의 조직된 힘의 부재 때문에 탄핵되지 못한 것이다. 버려지고 막장으로 몰린 사회적 약자들은 저항할 힘도 없고, 믿고 지지할 정치세력도 찾지 못하니 분노와 허탈만 공중으로 내뱉을 수밖에 없다. 그래서 사회가 교착되었다.

2014년 여름 한국은 600여년 전 고려 말, 100여년 전 조선 말과 유사한 상황에 놓여 있다. 국가의 기능 부재 상태이고 집권세력의 능력과 도덕성이 최악 수준이다. 공권력의 사유화, 즉 권력과 법이 승자들의 전리품을 분배하는 도구처럼 된 점도 공통된다. 도덕성과 통치능력 없는 권력이 오직 폭력 행사나 '적 만들기', 즉 '반란세력' 위협 조성만으로 체제 안정을 도모하고 있으니 나라의 운명을 좌우하는 외교·국방 정책이 없고, 경제가 소수에 독점되어 부정의와 불평등이 너무 심각하니 국민들의 마음이 떠났다. 게다가 백성들의 정신세계를 지배하고 있는 기성 가치나 제도권 종교가 부패의 대명사가 된 점도 그때와 유사하다.

이런 나라는 쿠데타나 반란에 의해 뒤집어지거나 외세가

건드리기만 해도 넘어간다. 그래도 고려 말에는 정도전 등 신진 사대부와 무장 이성계가 쿠데타를 일으켜 개혁 국가를 탄생시켰다. 그러나 500년 뒤 조선은 외세를 불러와 내부 반란은 진압했으나 결국 청·일, 러·일의 전쟁터가 되었고, 곧 최후의 승리자인 일본의 먹이가 되었다.

지금은 외세의 침략은 없지 않느냐고? 경제 전쟁이나 주변 강대국 패권 변동기에 옛날과는 다른 방식으로 외세의 노리갯감이 되어 영구분단의 비극을 맞을 수도 있다. 이 정부의 일련의 외교 부재, 미국과 중국이 이 정권을 어린애 취급하는 상황이 그 징후 아닌가?

그래도 왕조시대와는 달리 민주화 이후 형성된 시민사회가 변화의 동력으로 작용하는 점에 위안을 얻는다. 통치 불능은 교정될 것 같지 않으니 야당이 전면 재편되어 정치 부재를 끝장내거나, 시민이 더 나서서 사회 교착을 돌파할 수밖에 없다.

2014-07-29

4부

정의는 상식이다

노예 말고 적극적 시민이 많아지려면

한국에는 '돈 많은 노예'와 '돈 없는 노예', 두 종류의 사람이 있다. 전자는 여론을 주도하는 50대 이상의 '이익집단'이다. 이들은 '권리의식'이 매우 높아서 교사나 백화점 직원, 경찰, 혹은 다른 하급 공무원들에게 무서운 '민원' 세력이다. 이들은 만만한 사람들에게만 욕설과 항의 전화, 고소, 고발 등 권리행사를 한다. 내가 이들을 '노예'라 폄하하는 이유는 이들이 대체로 물질을 신으로 받들고, 내 권리는 알아도 남의 권리는 모르며, 과거 정권이 탈법·폭력·인권침해와 이웃의 고통에 눈을 감았듯이 이들은 세습 경제권력 앞에서 고개를 숙이기 때문이다.

반면 대다수의 20~30대 청년들과 하층 자영업자, 비정규직 노동자들은 사실상 '돈 없는 노예'들이다. 이들을 노예라고 보는 이유는 권리를 배워본 적이 없거나 주장할 방법을 잘 모르고, 먹고사는 일이 너무 힘들고 하루하루가 불안해서 늘 허덕이며 살고 있으며, 또 현실에서 주어진 작은 만족에 안주하거나 인간적인 모멸을 일상적으로 당해도 참고 넘어가기 때문이다. 이들은 동료 중 노예로 살지 말자고 외치는 사람들을 무시하거나 따돌리기도 한다.

과거의 군사정권이 복종적 '신민'을 요구했다면, 오늘의 신자유주의 시대는 소비자나 종업원으로 살기를 요구한다. 과거에는 권력의 폭압을 거부하는 '적극적 시민'들이 있어서 이들이 들고일어나 권력을 무너뜨리고 한국 사회를 한 단계 질적으로 성숙시켰다. 6월 항쟁에 참여했던 시민과 2016~2017년 촛불시위에 참여했던 시민들은 '적극적 시민'으로서, 이들은 당장의 자기 이익과 무관한 공적인 일에 개입한다.

체포와 낙인, 투옥을 각오했던 과거의 시위와 달리 오늘날 시위에 나서는 일은 별로 부담이 없다. 그래서 시위행동만 보면 노예와 적극적 시민이 잘 구별되지 않는다. 오늘날에는 자신의 지위와 생계가 위협받을 수도 있는 상황에서 부당한 처우에 항의할 수 있는 사람이 진정한 적극적 시민이다. 박창진 대한항공 사무장이나 서지현 검사 같은 사람들이 그들이다. 박창진은 오너의 갑질과 동료들의 따돌림 속에서도 버텨냈는데, 그는 "내 삶의 주체를 나로 가져오는 일"을 하는 이유는 "내가 살아남아야 다음 사람들이 구제받을 수 있기 때문"이라고 말한다. 이것이야말로 이 시대의 노예 거부 선언이라 할 만하다.

우리 사회의 기득권 세력은 이들처럼 노예임을 거부하는 사람, 즉 적극적 시민을 '빨갱이'라 공격한다. 그들에게 종북좌파란, 머리를 쳐들고서 권리주장을 하는 사람이다. 그들은 언제나 '피해자다움'을 요구하고 피해자들이 '인간'임을 선언하는 순간 여지없이 '색깔'을 들씌운다. 세월호 유족들도 보상금만 타가면 '착한 시민'이지만, 구조 과정의 진상규명을 요구하는 순간 기관원이 따라붙고 이웃의 따돌림을 받는다.

'적극적 시민'을 해고와 고립과 자살로까지 몰아가는 한국사회에서 사실 '적극적 시민'이 되려면 자격과 능력과 돈이 필요하다. '돈 없는 노예'들에게는 우선 스스로 조직할 수 있는 기회를 주어야 하고, 참여할 수 있는 역량을 갖도록 해주어야 한다.

일찍이 유길준은 '교육은 권리의 근본을 가르치는 것'이라 했다. 그런데 일제 총독부는 한국인들에게 '생각하는 인간'이 아닌 당장 먹을 것을 얻을 수 있는 기술을 가진 사람이 되라 했고, 부리기 쉬운 인간이 되라 했다. 개발독재 시절이나 지금의 신자유주의 시대에도 시장에서 팔릴 수 있는 지식이 최고다. 자유로운 인간, 스스로 생각하고 판단하는 인간만이 책임을 지는 주체가 될 수 있는데, 한국 교육은 학생들이 '적극적 시민'이 되는 법을 가르치지 않았다. 세상이 기성인들을 노예로 만들어도, 학교는 달라야 했다. 일제 강점기 이후 100년 동안 한국에 진정한 '교육'은 없었다. 그래서 한국에서는 '많이 배운' 사람들이 더 '노예적' 삶을 살았다.

유럽 20개국에서 학교 민주시민교육은 공식 교과과정으로 채택되어 있다. 이미 20여년 전에 학교 시민교육의 초석을 놓은 영국의 크릭 보고서Crick Report*는 '시민은 도덕적일 뿐 아니라 정치적이어야 한다'고 강조했다. 늦었지만 한국의 여러 시도교육청과 교육부에서 민주시민교육 관련 부서를 만든 것은 크게 환영할 만한 일이다. 그러나 정부는 아직 '민원'을 의식해서인지 아주 소극적으로만 발걸음을 내딛고 있다. 민주시민교육은 이미 시대의 대세다. 그것이야말로 촛불 청소년을 적극적 시민으로 길러, 한국 사회를 질적으로 전환시킬 주역으로 키우는 길이다.

2019-05-07

* 학교의 시민권 및 민주주의 교육에 대한 자문 그룹이 1998년 9월에 내놓은 보고서로 영국의 시민권을 위한 비전을 제시했다. 보고서 이름은 이 그룹을 이끈 버나드 크릭(Bernard Crick)에서 유래되었다.

사람은 상하지 않았나?

김수환 추기경은 박정희 대통령이 교회가 왜 노동 문제에 개입하느냐고 따져 묻자 "물질은 공장에서 값있는 상품이 되어 나오지만 이 세상에서 가장 고귀한 인간은 그곳에서 한갓 폐품이 되어 나옵니다"라고 교황 비오 11세의 「사십주년」*을 인용해서 답했다.

그러나 개발독재와 그 긴 그림자 속에서 발전의 길을 걸어온 한국에는 이러한 경구를 비웃는 일이 수십년 반복되고 있다. 1970년대 말 어떤 공장에서 노동자의 손이 기계에 끼여 기

---

* 1891년, 교황 레오 13세가 산업사회의 약자인 노동자들을 위한 사회회칙 「새로운 사태」(Rerum Novarum)를 발표했고 이후 「새로운 사태」 40주년을 맞아 교황 비오 11세가 사회질서 재건에 관한 「사십주년」 회칙을 반포함.

계가 멈췄을 때, 공장장이 급히 달려와 "기계에는 이상이 없느냐"고 물었다. 거금 2억원에 들여온 기계가 먼저 생각났기 때문이다. 1995년 삼풍백화점이 무너져 수백명이 깔려 죽어가고 있을 때, 사고를 알고도 먼저 빠져나간 이준 사장은 경찰에 출석해서 "건물이 무너진다는 것은 손님들에게도 피해가 가지만 우리 재산도 망가지는 것"이라고 말했다.

2009년의 쌍용차 파업과 용산 참사, 2014년 세월호 참사, 삼성전자 노동자들의 백혈병 사망 사건, 그리고 2017년 제천의 화재 참사로 발생한 수많은 인명피해의 원인은 거의 같다. 바로 자본을 귀하게 여기고 노동을 천하게 여기며, 사람의 생명이나 안전보다는 이윤을 앞세운 대기업의 논리와 위세에 공권력이 쉽게 무너졌기 때문이다. 매년 천여명이 산재로 사망하고 수백명이 과로사로 사망해도 그 죽음의 행진이 계속되는 이유는 한국의 가장 힘있는 세력과 공권력이 사람을 앞 순위에 놓지 않았기 때문이다.

한국을 방문했던 프란치스코 교황은 "노동자를 소외시키는 비인간적인 경제모델을 거부해야 한다"고 말했지만, 가톨릭 인천교구가 운영하는 성모병원은 노조를 심하게 탄압했다. 결국 250명의 조합원은 10명만 남았고 노조지부장인 간호사 이은주 씨는 폐혈전증으로 갑자기 사망했다. '죽음의 기업'이라는 오명을 뒤집어쓴 현대제철 당진공장에서 2007년부터 2016년까지 산재로 숨진 사람은 31명이었고, 그 대부분은 하청기업 노동자들이었지만 모기업 현대의 어떤 경영자도 처벌되지 않았다. 1명의 사망자가 발생할 경우 30여건의 사고가 미리 일어난다고 하니 오늘 한국의 대기업에 축적된 거대한 부는 매년 수만명, 수십만명의 생명과 건강을 희생시키고 얻은 것이라 해도 과언이 아니다.

『논어』에는 최근의 사태를 떠올리게 하는 일화가 실려 있다. 하루는 공자孔子의 집 마구간에 불이 났다. 조정에서 퇴근한 공자는 다 타버린 마구간을 보고 “사람은 상하지 않았느냐?” 라고 묻고 말에 대해서는 묻지 않았다고 한다.

사실 한국의 일터나 공공시설은 거의 ‘사람’보다는 ‘말’馬 위주로 설계되어 있다. 불은 언제 어디서나 날 수 있다. 간접고용된 사람, 비정규직, 외국인 노동자, 그리고 하급 사무직은 불이 나면 가장 직접적인 피해자가 될 것이다. 고故 이오덕 선생님이 말한 것처럼 “몸으로 일하겠다는 아이”를 길러내지 못하는 한국 교육이 바뀌지 않는 한 사람의 목숨보다 돈을 중히 여기는 기업가, 정치가, 종교인, 관료들이 이 국가를 움직일 것이다. 그러나 마구간에 불이 날 경우 말보다 사람을 더 위험에 빠트리는 그런 건축물을 짓지 못하게 하고, 말만 구출하고 사람은 죽게 내버려둔 주인을 처벌하는 일은 지금 할 수 있다.

문재인 대통령은 2012년 대선에서 “사람이 먼저다”라는 슬로건을 내걸었고, 2017년에는 ‘노동존중 사회’를 강조했다. 그런데 그것이 추상적 구호로 그치지 않으려면 결연한 정치적 실천과 이해 조정이 뒷받침되어야 한다. 그가 말하는 '사람'은 누구이고, 노동을 존중받지 못하게 하는 법과 제도, 그 힘과 의식의 실체가 무엇인지 명확하게 정의한 다음 국회와 힘을 합쳐 로드맵을 제시해야 할 것이다.

'사람이 먼저'가 단순한 구호가 아니라 진정으로 정책·법·제도로 구현되면 좋겠다. 한국의 일터는 전쟁터이며 매일 수많은 전사자와 부상자가 발생하고 있기 때문에.

2018-01-02

경쟁적 시험을 다시 생각한다

문재인 정부 1호 정책인 인천공항 비정규직의 정규직 전환이 암초에 부딪힌 것은 정규직의 저항 때문이었다. 비정규직 정규직화 토론회 자리에서 정규직 직원들은 "힘든 취준생 시절을 거쳐 수백 대 일의 경쟁률을 뚫고 이 자리에 왔는데, 이런 과정을 거치지 않은 비정규직들이 너무 쉽게 정규직이 되려고 한다"며 '공정사회' 구호를 외쳤다. 서울지하철의 정규직화 방침도 난관에 부딪혔다. "20대 청춘을 몽땅 저당잡혔던" 정규직 직원들은 "객관적 기준 없는 정규직화"에 반발하면서 자신들이 '역차별'당하는 일반직 전환을 중단하라고 외쳤다.

상시업무에 종사하는 공기업 비정규직 노동자들의 정규직

화! 정부의 원칙과 의지는 바른 것이었지만 막상 뚜껑을 열어 보니 '기회의 평등' '정당한 차별'의 담론 앞에 '불공정한' '밀실야합'처럼 치부되고 말았다. 물론 공기업들이 비용절감을 내세워 간접고용과 비정규직 채용을 남발해온 지난 20여년의 '적폐'가 문제의 궁극적 원인이다. 또한 공기업 입사를 위한 시험 준비를 합리적 '투자'로 여기면서 '희생의 대가'를 보상받으려는 공기업 청년 정규직들에게 연대의 정신만 설교할 수도 없다.

공기업의 정규직화에는 여러 가지 쟁점이 있지만, 우리는 이번 건으로 채용·승진 과정에서의 시험제도를 다시 생각해봐야 한다. 오직 기능만이 요구되는 일이라면 분명히 자격시험으로 필요한 직원을 선발하는 것이 최선의 방법일 것이다. 그러나 공공적 마인드가 약간이라도 필요한 자리는 시험과 짧은 면접으로만 직원을 선발할 수 없을 것이다. 입사 이전의 교육 및 사회활동 경력, 일에 대한 열의나 공익 마인드도 중요할 것이다. 그러나 이윤추구와 거리가 있는 우리 사회의 어떤 공조직도 시험 외의 채용·승진 평가 방법을 마련하지 못했다. 실제로 시험을 없앤 경우 힘있는 사람의 특혜와 연줄이 심하게 작용해서 더 좋지 않은 결과를 낳았다. 결국 시험은 정규직들의 주장처럼, '흙수저'들이 수용할 수 있는 정당성과 객관성의 마지노선이었다.

그러나 시험이 과연 최선의 방법일까? 과정의 '객관성'이 이후의 모든 성과를 보장할까? 사실 시험이라고 해서 모든 사람에게 공정한 기회를 주지는 않는다. 대학도 그렇지만, 로스쿨이나 공무원시험도 경제적으로 어려운 사람에게는 제대로 준비할 여유가 주어지지 않는다. 즉 성공한 정규직의 주장과 달리 기회는 결코 평등하지 않다. 그리고 교사고시 이후의 교사와 과거 배정 시절의 교사를 비교할 때 자주 거론되는 것이기도 하지만, 경쟁적 시험을 통과한 사람이 반드시 공공 업무에 최적의 인물이라는 보장도 없다. 시험은 오직 제한된 '기능'만 평가하기 때문에 더 중요한 자격요건인 숙련과 업무 적합성이 등한시될 수도 있다.

비록 시험을 통과한 정규직이 기능에서 뛰어나다고 해도, 동일 업무에 종사하는 정규직과 비정규직의 임금격차가 반드시 정당한 것은 아니고, 그 격차가 십년, 아니 평생 지속되어야 한다는 어떤 근거도 없다. 게다가 공기업의 비용절감 필요 때문에 정규직의 고임금과 특권은 상당 부분 비정규직의 희생 위에 서 있다는 점도 분명하다.

경쟁적 시험은 채용과 승진을 위한 하나의 평가 방법에 불과하지만, 한국에서는 그것이 절대적이고 유일한 방법이 되었다. 그래서 시험에 통과한 사람은 과도한 특권의식을, 실패한 사람은 패배감을 안고 살아간다. 정부와 공기업에는 필요한 기능과 더불어 공공 마인드도 갖춘 사람이 들어가야 하는데, 높은 보상과 직업 안정성이 보장되다보니 그 업무에 적합하지는 않지만 기능만이 뛰어난 사람들로 채워지는 경향도 있다. 그 결과 '시험 공화국'의 승리자들은 온 나라를 '경쟁'과 '능력'의 논리로 도배해버렸다.

입직과 승진에서 평소의 업적과 자질을 평가하기 위해서는 많은 시간과 비용, 토론이 필요하다. 한국에서 국가 주도의 한 번의 경쟁적 시험이 합리성의 마지노선이 된 이유도 기업 등 민간 조직에서의 평가 기준과 철학이 없고, 합리적 평가를 위한 비용을 국가나 기업이 제대로 지불하지 않았기 때문이다. 우리 사회 모든 영역에서 패자부활의 기회를 열어주기 위해서는 업적평가 체제 전체를 손봐야 한다. 시험에 한두 번 실패한 사람도 업적과 열의를 보여줌으로써 재도전의 기회를 가질 수 있어야 한다.

2017-12-05

약한 국가, 신뢰 낮은 사회

정부가 제출한 2017년 예산 규모를 보면 정부 예산이 400조를 넘었고 복지비도 130조를 넘었다. 한국은 최근 20년 사이에 국가 예산 중 복지비 지출액수는 물론 GDP 중 조세부담률이 가파르게 높아진 나라 중 하나다. 그런데도 한국은 아직 GDP 중 복지비 지출이 10% 정도인 저低복지 국가에 속한다. 1인당 소득 기준으로 봐도 스웨덴이나 독일은 1만불을 넘었을 때 이미 복지비 지출이 20%를 넘어섰으나 3만불에 육박한 한국은 아직 5%에도 미치지 못한다. 더 심각한 사실은 한국의 GDP 대비 국가재정과 조세부담률(사회보장비 포함)도 OECD 평균에 10%나 뒤떨어져 있고, 여전히 OECD 최하위 군에 속해 있다는 점이다.

이것이 뭘 의미할까? '저복지'도 큰 문제지만, '저低재정' 즉 국민총생산액 중에서 국가(정부)가 사용할 수 있는 돈이 너무 적다는 점에도 주목해야 한다. 국민이 재산, 소비, 근로소득 중에서 세금으로 내는 비율이 매우 낮다는 것이다. 즉 한국은 부자나라이기는 하지만 기업과 개인이 부자이고, 국가(정부)가 사용할 수 있는 재정이 너무 적어서 재분배 정책 , 즉 '사회 정의'를 실현하고 싶어도 돈이 없어서 못한다는 말이다.

사람들은 우리 정부가 민간 경제활동에 깊이 개입하고 있기 때문에 매우 강한 국가로 생각하지만, 재정규모로 보면 실제 한국은 '약한 국가'에 속한다. 실제로 개발독재 시절인 6,70년대에도 한국의 조세부담률은 매우 낮았다. 87년 민주화운동과 김대중·노무현 민주정부도 획기적으로 상황을 변화시키지는 못했다. 특히 외환위기 이후 '작은 정부', 탈규제, 민영화론이 득세하였고 이명박 정부에서는 증세가 기업의 투자의욕을 꺾는다는 논리가 세를 얻어 급기야 종부세도 폐지되고 법인세도 줄어들었다. 국가의 곳간은 비었으나 부자들은 웃었다.

그래서 노무현 정부 말기 300조원 정도였던 국가부채는 이명박·박근혜 정부를 거치면서 눈덩이처럼 불어나 2017년에는 680조에 이른다고 한다. 4대강 개발로 인한 수자원공사의 부채 8조 중 2조 4천억을 정부 재정에서 메울 것이라는 소식까지 들려 더 답답한 심정이다. 조세부담률을 점진적으로 높이고 국가의 재정규모를 획기적으로 늘려도 다가오는 고령화 사회에서 크게 늘어날 연금, 복지, 의료비를 충당하기 어려울 것이 뻔한데, 지난 10여년 동안 이명박·박근혜 정부는 재정규모를 뒷걸음치게 만들고 국가부채만 잔뜩 늘렸다. 앞으로 한 세대 이상 지속될지도 모르는 엄청난 짐을 남겼다는 비판을 면하기 어려울 것이다.

국가가 각종 기업 지원을 통해 성장 동력을 확보하는 것도 물론 중요하다. 그러나 저성장 고령화가 돌이킬 수 없게 된, 선진국의 문턱에 올라선 한국으로서는 재정규모 자체, 그리고 그중 복지·교육 예산을 더 많이 확보하여 '시장의 실패'를 교정하고 사회적 통합을 이루는 데 더 주의를 기울여야 했다. 조세부담률 즉 재정규모를 늘리려면 국가(정부) 신뢰의 확보, 다시 말해 조세 징수의 공정성과 지출에서의 투명성 확보가 반드시 필요하다. 정권의 민주성과 공공성이 보장될 때만 국민이 납세 의사를 가지기 때문이다.

OECD 국가 중에서 GDP 대비 재정규모가 작고, 복지비 지출이 미미한 미국, 멕시코, 그리스 등은 하나같이 정치 불신이 높고, 기득권 세력을 견제할 수 있는 사회적 역량이 매우 취약한 나라들이다. 물론 성장이 지속되어야 세금도 걷힐 것이다. 그러나 지금처럼 소득과 재산이 극도로 불평등해진 나라의 국민들이 소득세를 더 낼 여력이 있을까? 그리고 한국처럼 국민 위에 군림하는 관료들, 4대강 혈세낭비, 연일 터지는 국방비리, 그리고 한진해운 경우처럼 경영에 실패한 기업을 밑 빠진 독에 물붓기 식으로 지원하기, 정권홍보를 위한 혈세낭비 등을 국민이 다 목격했는데 세금낼 마음이 생길까?

'저低신뢰', 관료 부패야말로 국가의 곳간을 비게 만들어 국가가 제대로 힘을 발휘하지 못하게 하는 '국가의 적'이다. 그렇다면 김대중·노무현 두 정부는 과연 어떠했나? 재정 확대의 비전이 없었나, 아니면 기득권 세력의 저항에 무너졌나? 정권이 교체되면 과연 달라질까?

2016-09-20

외부세력론의 허구를 넘어서

1960년 3·15 부정선거에 항의하는 마산 학생데모가 일어나자 이승만 정부는 "공산폭동과 흡사" "오열(좌익) 조종혐의 농후하다"라고 겁주면서 데모를 주저앉히려 했다. 그러나 데모는 서울과 전국으로 걷잡을 수 없이 번졌는데, 그러면서도 학생들은 "우리는 공산 오열의 침투를 경계한다" "학생들의 순수한 피, 민주당은 오용 말라"고 방어막을 쳤다. 이번 사드 반대 서울역 시위에서도 성주 사람들은 "외부세력 개입" 운운한 보수언론과 정부의 공격을 피하려고 '명찰'을 돌려 '외부세력'이 들어오지 못하게 했고, 이화여대생들도 평생교육 단과대학 설립 반대 농성에서 '운동권'과 '외부세력'의 개입을 차단했다.

그런데 한국에서는 오랫동안 외부세력의 개입을 법으로 금지한 예가 있었다. 바로 노조활동에서의 '3자개입금지' 규정이 그것이다. 세계 어느 나라에도 없는 이 악법이 80년에서 97년까지 노조탄압에서 전가의 보도처럼 사용될 수 있었던 논거도 노동현장의 분쟁은 노사 간의 '순수' 이익다툼이므로 제3자 운동권이 '순진한' 노동자들을 선동하여 정치화시켜서는 안 된다는 것이었다. 겉으론 그럴듯해 보이지만 이것은 노동자들의 요구가 오직 '직접 근로관계'에서 발생한 이익 문제이며 노동자들을 오직 임금과 근로조건에만 관심을 가진 존재로 보는 반면, 사용자가 일상적으로 동원하는 정부·법 · 언론 ·정치세력 등 모든 외부 지원은 '제3자'로 보지 않는다는 점에서 사실상 노동자 노예화법이었다.

비록 3자개입금지법은 없어졌어도, 이번 성주나 이대에서처럼 보수언론이나 정부의 '외부세력'론과 그에 맞선 저항세력의 '순수성'론은 이 사회에 그대로 살아 있으며, 저항세력은 군사정권 내내, 그리고 지금까지도 "나는 '순수'하니 내 문제에 정치권과 운동권이 개입하지 말라"고 방어막을 쳐야만 했다. 그런데 저항세력이 방어를 위해 내세운 '순수성'론은 당장의 탄압을 피하는 '자원'이 될 수 있지만, 결국은 발목을 옥죈 쇠줄을 녹여 철사로 온몸을 감는 일이기도 하다. '운동권'의 이념과 정치를 배격한 대기업 노조는 '순수한' 임금인상 투쟁에 매진하다가 자기 이익만 챙기는 '귀족노조'가 되어 사회적으로 고립되었으며, 중소기업 노조는 용역폭력과 경찰, 검찰, 언론, 사법부에 알몸으로 맞서는 신세가 되어 어제의 유성기업이나 오늘의 갑을오토텍처럼 처절하고 외로운 저항을 하다 하나하나씩 사라져갔다.

일제가 조선을 점령했을 때, 채찍 다음으로 비중을 둔 일은 교육을 통해 조선인의 정신을 노예화하는 것이었고, 그 핵심이 바로 "민도民度에 맞게" 교육을 한다는 것, 즉 오로지 '실용'에만 충실한 인간을 기르되 '정치'에는 일체 관심을 갖지 못하도록 하는 것이었다. '국민 개돼지론'의 원조는 일제인 셈인데, 식민지 백성들에게는 먹을거리만 주되 공민으로서는 행동하지 못하도록 하자는 논리다. 성주와 이대를 향해 날리는 '외부세력'론이나 "성주 참외 사주기"론은 모두 일제와 독재정권의 백성 노예화 작업의 반복이다. 즉 "정치는 우리가 하는 것이니 너희들은 당장의 먹을거리만 챙겨라"라는 말이다.

그런데 이제 성주 사람들은 이 '외부세력'론의 허구를 깨달았다. 그들은 이제 "성주뿐 아니라 한반도 사드배치 반대"를 외친다. 그들은 사드가 성주 내의 외진 곳이나 김천으로 가면 자신들은 전자파를 피할 수 있을지 모르지만, 그것은 결국 다른 지역 주민의 희생을 담보로 자신만 살게 되는 것이며, 궁극적으로는 자신들도 살 수 없다는 사실을 깨닫기 시작했다. 그에 반해 이대생의 농성은 아직 이대 안에 머물러 있다. 과거에 학생들은 이념을 먹고 살았고, 민중들은 '밥'의 문제에 머물러 있었지만, 이번에는 그 반대의 양상이 나타났다.

물론 이대생들의 '운동권 배격' 행동을 비판할 자격이 내게는 없다. 우리 세대 사람들은 이념과 정치만 앞세우면서 민중들의 '밥'을 깊이 고민하지 못한 채 무책임하게 사라졌다가 자신만의 '큰 밥상'을 챙기려고 이념을 버리고서 다시 나타났기 때문이다. 그래서 나는 성주 사람들의 지혜에 큰 박수를 보내면서도 이대의 '느린 민주주의'를 지켜볼 작정이다. 그들의 발랄한 행동에 박수를 보내면서 그들이 동문과 한몸이 되기보다는 같은 처지에 있는 다른 대학생들과 손을 잡는 날을 기다리기로 했다.

2016-08-09

해체된 사회 위의 껍데기 국가

"죽는다는 것이 생각하는 것처럼 비합리적인 일은 아닙니다." 하루에 38명이 자살하는 세계 최대의 자살공화국 한국에서 서울대생이 자살했다고 특별히 주목할 것은 아니지만, 나는 그가 유서에 남긴 이 한마디를 며칠째 자꾸 되씹는다. 개인적 이유도 있었을 것이다. 그러나 "모든 자살은 사회적 타살"이라는 이론을 지지하는 나는 다른 청년들에 비해 장래가 덜 비관적일 것이라고 생각되는 그의 자살 사건과 며칠 전 고시원에서 외로움 속에 죽음을 맞았을 한 청년의 사망 사건을 참으로 무겁게 받아들인다.

2학기 마지막 강의 시간에 나는 오늘의 청년 문제에 대해 조별로 토론을 하게 했다. 그들 대다수는 오늘의 청년 문제를 세대 문제로 봐서는 안 된다면서 "삶이 덧없다…, 무한한 고통의 연속, 더 살아봤자 희망이 있을까, 허무하다, 일상을 움직이는 힘이 없다…, 원래는 세상이 빨리 변해야 한다는 생각을 했었는데 이제는 바뀌지 않을 것 같다는 생각이 든다"고 토로했다. 학생들은 이 사회가 더 좋아지리라 기대하지 않는다고 이구동성으로 말했다. 요즘 유행하는 '수저론'이 앞의 자살 학생의 유서에서도 나왔지만, 태어날 때 물고 나온 수저가 운명을 좌우한다면 모든 노력은 헛된 것이고 이 세상은 '비합리'의 극치인 지옥인 셈이다. 나는 "왜 청년들은 분노하지 않느냐"고 기성세대 특유의 질문도 던졌는데, 그들은 "분노감은 있지만 분노할 방법을 모른다"고 응답했다. 세습자본주의의 작은 틈바구니에서 살아남으려고 발버둥치는 고립된 개인들의 군상을 보는 것 같았다.

한나 아렌트는 『전체주의의 기원』에서 독일 히틀러 체제의 등장은 사회의 원자화, 사회 해체의 결과라고 강조한다. 전체주의 세력은 대중의 불안에 편승하여 사회적 유대를 먼저 파괴한 다음 손쉬운 방법으로 권력을 쥘 수 있었다. 국민 그 누구도 권력을 신뢰하지 않지만 아무도 권력의 일탈과 억지, 거짓과 폭력에 항의하거나 분노를 표시하지 않는 이유는 모두가 서로에 대한 감시자가 되고, 불안과 위기의식을 가진 모든 사람이 서로를 경쟁 상대로 느끼면서 적나라한 사적 욕망 외에는 드러낼 것이 없기 때문이다.

이명박 정부 때는 탐욕과 범법으로 살아온 장관 후보들이 정부를 책임지겠다고 큰소리치는 것에 역겨워한 사람들이 샌델의 '정의론'에 비상한 관심도 가진 적이 있지만, 박근혜 정권에 들어서는 정의를 말하는 것조차 쓸데없는 일처럼 느꼈던 것 같다. 아무리 황당한 일이라도 계속 반복되면, 그것이 통상적인 일이 되어버리고, 심각한 거짓말도 대형 확성기의 우격다짐 방식으로 반복적으로 유포되면, 그것이 거짓말이라는 것을 알아도 사람들은 반박할 의욕을 상실해버린다. 세월호 청문회처럼 모든 언론이 완벽하게 외면하여 지금 세상에서 벌어지는 그 어떤 중요하고 심각한 일도 보이지 않고 들리지 않게 되면, 이제는 고발하고 폭로하는 사람이 바보가 된다.

권력에는 아무 책임이 없고 모든 것이 개인 책임인 세상이다. 뻔뻔함, 우격다짐, 욕망 부추기기, 그리고 겁박으로 체제가 유지된다. 지치고 힘든 대중들이 분노를 표현할 능력마저 상실하면, 국가의 겉은 화려하고 멀쩡해도 속은 다 썩어서 텅 비어버린다. 오직 한 사람만 말한다. 관료와 기자들은 받아쓰기만 하고 그 어떤 의견도 제출하지 않는다. 아마 더 심각한 위기가 와도 누구도 책임지지 않을 것이다. 모두가 시키는 대로만 했기 때문이다.

선거가 다가오면 출마자들은 거리를 쏘다니면서 표를 달라고 악수를 청한다. 무슨 염치로 정치를 한다고 그러느냐고 뺨이라도 후려갈기고 싶은 심정은 나만의 것일까? 해체된 사회를 그냥 두고 정치가 바로 설 수 있나? 고립 파편화된 '을'들을 모아서 소리치게 해야 희망이 보일 것이다. 사람들 간의 관계가 살아나고 논쟁이 시작되어야 정치가 바로 설 수 있고, 그래야 이 껍데기 아래에서 새살이 돋아날 것이다.

2015-12-22

사회적 상속

'배운 게 도둑질'이라고 나는 외국에 나가면 대학, 도서관, 박물관을 주로 방문한다. 특히 미국에서는 이런 건물의 입구에 여지없이 사람들의 이름이 새겨져 있다. 기부자들 명단이다. 그 지역사회의 단체나 개인들이 이런 공공적인 일에 기꺼이 기부를 했고, 오늘 당신들은 이들의 기여 덕분에 이런 혜택을 누리고 있다고 말하는 것 같다. 건물의 명칭도 이들 개인 기부자들의 이름을 딴 것이 많다.

그런데 한국의 큰 대학이나 도서관 건물은 대개 애초 재단이나 국가 아니면 재벌대기업이 지은 것들이다. 건물의 명칭도 재벌기업이나 기업가의 호를 딴 것이 많다. 물론 재벌대기업들도 사회공헌의 큰 뜻을 갖고 그런 기부를 했겠지만 과연 회사 돈이 아닌 개인 돈을 기부했을까 하는 의문이 든다. 미국에서는 상속세 폐지 움직임에 가장 먼저 반대하고 나선 사람들이 빌 게이츠나 워런 버핏 같은 거부들이다. 워런 버핏은 "사회의 자원이 왕조가 대물림되듯이 대물림되어서는 안 된다"고 말했다. 그러나 한국에서는 큰 부자든 작은 부자든 '사회의 자원'을 자식들에게 물려주려는 경향이 있다.

5억짜리 아파트가 15억으로 뛰면 차액 10억은 그의 노력으로 얻은 것이 아니다. 도로, 지하철, 편의시설 등을 설치한 것은 국가이고, 그것은 국민의 세금이 들어간 것이다. 대기업이 10년 만에 10배로 몸집을 불렸다면 그것은 기업주의 노력의 결과만은 아니다. 지금도 정부 예산 중 가장 많은 액수는 투자지원, 환율, 면세, R&D 등 여러 가지 형태로 기업에게 돌아간다. 그래서 정부, 투자자, 소비자, 노동자의 공동 기여물인 수조원 수십조원의 대기업을 사유재산처럼 자식에게 물려주는 것은 극히 온당치 못한 일이다.

외국의 갑부들이 재산을 자식에게 물려주지 않는 이유는 그들의 도덕심이 넘쳐나서 그런 것이 아니라 그게 법이자 상식이고 또 그래야 하기 때문이다. 미국의 경우 전체 기부의 75.6%는 개인 기부라고 하는데, 한국에서 고액 개인 기부는 아직도 신문에 날 정도로 드물다.

그런데 더 중요한 점이 있다. 미국의 기부자들은 주로 대학, 도서관, 의료기관, 박물관 등 사회의 인프라, 그 사회의 지속성과 관련된 기관에 기부를 한다. 즉 건물 등 외형적인 것이 아닌 사람을 키우는 일, 소프트웨어에 투자를 한다는 말이다. 기부금품 모금 통계를 보면 한국의 기부는 자선사업이나 국제구호가 대부분인데, 기부금 모금단체도 종교단체가 상당수(66%)이고 교육단체는 6%에 불과하다. 한국인들은 재해 발생시 또는 불우한 사람들에게 즉흥적으로 내는 경향이 있다. 물론 자선도 칭찬할 만한 일이다. 그러나 더 중요한 것은 자선을 베풀 대상이 줄어드는 사회를 만드는 일, 그런 사회를 위해 일하는 세력을 키워주는 일이다. 사회의 불평등과 부정의를 바로잡는 일에 젊은이들이 더 많이 헌신할 수 있고, 더 많은 학자들이 그런 주제로 연구하고, 더 많은 언론인이나 정치가들이 그 일과 씨름해야 법과 제도가 바뀌게 될 것이다. 자선보다는 교육, 사회운동, 정책과 정치를 바로잡는 일이 필요하다.

김낙년 교수의 조사에 의하면 자산에서 상속의 기여도는 1980년대 27%에서 2000년도에는 42%로 치솟았다고 한다. 그런데 박근혜 정부는 가업계승자 면세범위를 500억원으로 상향 조정한다고 하고, 심지어는 '효도법'이라는 것을 만들어 부모를 모시는 자녀들에게 5억까지 상속세 공제를 한다고 한다. 자영업자가 가업승계차원에서 수억, 혹은 수십억원 대의 가게를 자식에게 물려주는 것은 부정의하지 않다. 그러나 500억원 상속을 과연 가업승계로 볼 수 있을까. 기부를 장려해도 시원찮을 판에 기부하지 말고 자식들에게 물려주라고 국가가 나선 꼴이다. 상속세 제로가 되면 '지옥과 같은 한국'(헬조선)은 더 심각한 신분사회가 될 것이다.

이런 환경에서도 한국의 몇몇 뜻있는 기업가, 부자들이 재산을 자식에게 물려주지 않고 '사회적 상속'을 실천하는 흐뭇한 이야기도 있다. 사회적 상속은 미래를 위해 지금 세대가 할 수 있는 최고의 선물이다. 여러 면에서 미국이라는 나라는 비판받을 점도 많지만, 그들의 기부 문화, 즉 사회적 상속 관행을 보면 왜 그들이 세계를 지배하는지 짐작할 수 있다.

2015-12-01

메르스 공포의 정치사회학

메르스 확산 과정을 보면서 "병원이 병을 만든다"는 이반 일리치Ivan Illich의 경구가 떠올랐다. 당시 정부는 "우리나라에서 발생한 메르스는 모두, 의료기관에서 감염된 사례들"이라고 시인했다. 평택 성모병원에서 발병한 환자는 삼성병원의 의술과 명성을 알고서 그곳으로 갔을 것이다. 그런데 삼성병원은 전염병 환자를 별도로 격리해서 치료할 준비가 전혀 되어 있지 않은 영리병원일 따름이었다. 한국 최고의 병원으로 알려진 삼성병원은 역설적으로 메르스 바이러스를 전국적으로 확산시키는 허브 역할을 했다.

사람들은 메르스 감염자들을 제대로 격리하지 않았던 삼성

병원을 크게 비난했다. 그러나 냉정하게 말해 전염병의 확산을 막는 일은 삼성병원의 소관사항이 아니다. 과거나 현재나 전염병 백신을 개발하거나 확산을 막고 발생한 환자를 전문적으로 치료하는 공중보건은, 영리병원이 아닌 국가나 정치의 영역에 속한다. 민간병원에 전염병 환자는 오히려 기피 대상 고객이다. 2003년 사스, 2009년 신종플루가 유행할 때도 민간병원은 환자 받기를 꺼렸다.

그렇게 보면 의술의 발전, 병원의 대형화와 현대화, 의료장비의 첨단화는 공중보건의 질에는 별로 기여하지 못한 듯하다. 기업화된 병원은 충분한 치료비를 준비해 오는 고객의 요구에는 최고의 서비스를 제공하지만, 이런 고액의 치료비를 지불할 능력이 없는 다수 국민들의 건강은 물론 심지어는 자기 회사 직원인 의사나 간호사들의 건강과 생명에도 관심을 두지 않는다. 오히려 전염병 환자가 자기 병원에 있었다는 것은 중요한 '영업 비밀'이다. 그런데 이런 와중에 정부는 공중보건보다는 삼성병원의 위신과 이익에 신경을 쓰는 태도를 보였다.

전염병 확산에 관한 정보를 갖고 있으며 그것을 차단할 수 있는 행정조치 및 공권력 동원이 가능한 정부가 공익, 즉 국민건강의 관점에 서서 이 일을 제대로 처리하지 않는다면 초기에 쉽게 진압할 수 있는 전염병이 마구 퍼져 온 국민을 환자로 만들 수 있다. 그래서 몇 분야의 의술에서 세계 최고를 자랑하는 의료 선진국 한국이 하루아침에 의료 후진국의 오명을 뒤집어썼고, 국가경제도 심각한 타격을 입었다. 즉 환자의 건강과 생명보다는 이윤에만 관심 있는 병원, 국민의 안전과 생명보다는 이들 힘 있는 영리병원의 이익을 더 중시하는 정부는 전염병 환자와 공포에 질린 국민에게는 거의 도움이 되지 않는 존재였던 것이다.

경실련의 조사에 의하면 한국의 인구 1천명 당 병상 수는 9.46개로 세계에서 일본 다음으로 많다고 한다. 그런데 1천명 당 공공병상 수는 1.19개로 OECD 24개국 중 최하위에 머문다. 그러니 이런 위급한 사태가 발생해도 감염된 환자들을 격리시켜 치료할 병동이 없다. 결국 자가 격리 외에 별다른 대책을 마련할 수가 없다는 것인데, 자가 격리라는 것은 결국 병을 가족에게 옮기도록 방치하는 것이 아닌가.

사실 메르스 사태는 겉으로는 정부의 대응 과정, 혹은 전염병 방지 시스템의 붕괴이지만, 정확히 말하면 잘못된 시스템 자체에 더 큰 원인이 있다. 즉 최고의 의술과 시설, 막대한 의료비가 기업의 이익을 위해 사용되는 시스템이 문제다. 첨단 의료장비를 갖춘 영리병원은 중병에 걸린 많은 사람들의 생명을 구할 수도 있지만, 국민 일반의 건강과는 무관한 것일 수도 있고, 오히려 공공 의료서비스 질 향상을 가로막거나, 이번처럼 전염병이 창궐하면 오히려 국민을 심한 공포와 불안에 빠트리는 괴물이 될 수도 있다. 특히 오늘날처럼 대도시에 인구가 밀집하고, 수천명의 환자가 한 병원에서 치료를 받는 상황은 과거에는 없었던 엄청난 위험 요소다. 그래서 전염병 예방과 확산 방지를 위한 국가와 정치권의 공중보건 강화 노력이 없다면, 처음에 우습게 시작한 전염병도 전쟁과 같은 대참사를 가져올 수 있다.

메르스 사태에 대한 박근혜 정부의 대처 모습은 세월호 사건과 거의 판박이다. 정권의 관심이 국민의 안전과 생명보다는 권력 보호, 주로 대기업의 이익 보장에 있었기 때문에 이런 일이 발생한 것이다. 그래서 문제는 결국 정치다.

2015-06-09

조롱과 테러, 파리의 두 야만

2015년 1월 9일 프랑스 시사 주간지 『샤를리 에브도』*Charlie Hebdo* 기자들에 대한 충격적인 테러 직후 프랑스와 서방 사람들은 "나는 샤를리다"라고 공감과 지지를 표시했다. 150만의 시민이 대규모 반테러 시위에 참가했고, 프랑스 총리는 '테러와의 전쟁'을 선포하기도 했다.

이 사건을 두고 사람들은 '표현의 자유'의 허용 한계, 혹은 '문명의 충돌' 등으로 설명하지만 나는 프랑스 출신 한 런던대학 교수가 말한 '야만주의의 충돌' 명제가 더 다가왔고, 한 걸음 나아가 이것은 '무신경하고 오만한 서구 급진적 자유주의와 제3세계의 충돌'이 아닌가 생각한다. 그것은 내가 표현의 자유라는 인류의 공통 자산을 부정해서도 아니고, 『샤를리 에브도』 기자들의 반권위주의 입장을 지지하지 않아서도 아니며, 이 사건을 일으킨 이슬람 근본주의 세력의 테러 전략을 옹호해서는 더더욱 아니다.

"나는 샤를리다"라는 서방의 연대전선은, 미국에서의 9·11 테러 직후 『르몽드』가 "우리는 모두 미국 시민이다"라며 이슬람 근본주의자들의 테러에 맞서 연대 의사를 표시한 일이나, 1963년 미국 대통령 케네디가 베를린을 방문하여 "나는 베를린 시민입니다"라며 동독 공산주의에 맞서 서독에 연대를 표시하여 환영을 받았던 일을 연상시킨다. 미국을 필두로 한 서방국가는 '자유'라는 기치 아래 과거에는 공산주의라는 '악마'와 맞섰다면, 지금은 테러세력이라는 '악마'에 맞서 연대를 과시하고 있다. 반공에서 반테러로 이어지는 이러한 서방 연대과정에서 선교사 제국주의, 미국의 남미 독재정권 지원, 중동 석유 장악을 위한 영·미의 개입, 이스라엘의 팔레스타인 점령 후원 등의 치부는 물론 주류 백인들의 인종주의와 자국 내 제3세계 이주노동자들에 대한 멸시와 차별의 역사까지 완전히 묻혀버린다.

'자유·평등·박애'라는 프랑스 혁명의 정신은 제국주의와 독재의 사슬에서 신음했던 전세계 모든 사람들에게 정신적 복음이었다. 그러나 프랑스는 영국이 식민지를 포기하고 한참 뒤인 1960년대 초까지 알제리를 포기하지 않았고, 물러갈 때도 그냥 간 것이 아니라 현지 대리자들을 통해 수많은 피억압 주민들에게 폭력과 학살을 자행하였다. 공산주의라는 야만에 맞서자던 케네디는 쿠바를 침공하였고, '자유'의 이름으로 베트남전쟁에 부당하게 개입하였다. 물론 『샤를리 에브도』는 반전운동을 했던 68운동의 주역들이 운영했다. 그러나 오늘 프랑스에 살고 있는 500만 무슬림이 왜 프랑스로 오게 되었는지, 그들이 내부의 소수자로서 겪고 있는 낙인과 차별에 대해 이 매체가 어느 정도 공감을 하는지는 의심스럽다. 수백년 전 그들의 조상들은 '표현의 자유'를 위해 목숨을 걸고 용기를 내 부르짖었지만, 오늘 문화적 기득권층이 된 서방 사람들이 '저주받은' 사람들과 그들의 종교를 비하하고 조롱하는 것이 '용기'의 일종인지 의심스럽긴 마찬가지다.

이번 테러 이후 프랑스와 유럽 전역에서 이슬람 교당에 대한 폭력 행사가 나타나고, 극우파가 득세하는 한편, 과거 프랑스 식민지였던 아프리카 여러 나라나 파키스탄에서 교회 파괴와 반대시위가 발생하고 있다. 오만한 '자유'는 폭력을 낳고 오히려 근본주의를 부추긴다. 지난 2세기 이상 서방이 누린 자유와 풍요는 문명이라는 이름의 야만 통치의 대가로 얻어냈다는 사실을 '반테러 전쟁'을 선포한 서방 진영이 잊어서는 안 된다.

테러세력의 배후를 캐자는 '음모론'은 자신이 무엇을 했는지 알지 못하는 기득권 세력의 한계다. 평범했던 젊은이들을 테러범으로 만든 것은 바로 프랑스 사회의 과거와 현재다. 과거 식민지 원주민의 자식들이 이제 내부 식민지 주민이 된 오늘, 사르트르가 말했듯이 "이주민이 되기보다는 비참한 원주민이 되는 것이 낫다"는 진실을 이들이 '이등 시민'으로서 잔인하게 체험해야 한다면 앞으로도 테러는 지속될 것이다. 독을 독으로 제거하려 하면 생명체는 죽는다. 종교적 근본주의만큼이나 급진 자유주의도 서구 문명의 치부를 드러내준다.

2015-01-20

그래도 진보정당은 필요하다

나는 민주노동당 창당 무렵에 당명 제정, 강령이나 정책 작업에 약간 관여하다가 내부의 정파 다툼에 불편함을 느껴 그 이후로는 진보정당 운동에 공식적으로 참여하지 않았다. 분당 사태 등 그 이후에 진행된 여러 사건들에 대해서 비판, 논평하지 않고 그냥 관찰만 했던 이유는 '행동이 따르지 못함'을 의식했기 때문이기도 하지만 내부 두 정파 노선의 문제점에 대해 이미 1990년대 초에 입장을 정리했기 때문이었다. 그러나 2004년 민주노동당이 10석을 얻었을 때 크게 환호했던 것도 사실이고, 탄압이 아닌 내부 갈등 때문에 의석을 확대하기는 커녕 거의 자폭의 양상으로 무너지게 된 것을 안타깝게 생각했다. 특히 제도권에 들어온 통합진보당 지도부의 노선과 행태에 크게 실망을 했다.

그러나 나는 2014년 헌법재판소의 통진당 해산 결정은 중무장한 대왕개구리가 다 죽어가는 토종개구리를 상대로 우물 안에서 전쟁을 벌인 것이라 본다. 통합진보당의 시계가 5, 60년대에 멈춰져 있다면, 헌재의 시계는 유럽의 19세기, 우리나라의 조선시대에 멈춰져 있다. '종북'이라는 '딱지'는 정치적 반대파를 '역적'으로 몰던 조선시대 수구세력의 담론과 거의 다를 바 없다.

'비법률적인' 용어까지 동원한, 제대로 된 논증도 없는 통합진보당 해산 결정은 '종북파'의 위협을 막자는 것이 아니라, 정권과 기득권 세력의 권력 상실 두려움을 달리 표현한 것이다. 가만 내버려두더라도 유권자들의 선택을 받지 못해 사라질 수도 있었던 통합진보당을 강제 해산하고 국민이 선출한 통합진보당 지역구 의원들의 의원직을 박탈하기까지 무리수를 둔 이유는 북한과 통합진보당이 실제 국가에 위협적이라서가 아니라 여야 정치세력이 독점하고 있는 정치지형, 분단/내전 상태가 만들어낸 극히 편향적인 담론, 정책지형이 변하는 것이 두렵기 때문일 것이다.

사실 일관된 정책이 있고, 당비를 내는 진성 당원이 있으며, 당원의 참여와 토론의 과정을 거치려 했던 점에서 과거 민주노동당과 이후 진보정당들은 오히려 한국 정치사에서 가장 정당다운 정당이었다. 아마 한국이 제대로 된 나라였다면 이들 진보정당들이 소수정당이 아니라 다수당이 되었을 것이다. 헌재가 해산 결정 사유로 거론한 통합진보당 내부의 비리나 비민주적인 운영 역시 모르긴 해도 다른 당들도 그만 못하지 않거나 더 심했을 것이다.

나는 땀 흘리며 살아가는 다수의 통합진보당 당원이나 지지자들이야말로 진정한 애국자들이며, 알량한 기술적 지식과 펜대만 굴리면서 세상을 살아가는 헌재 재판관들보다 우리나라 경제나 사회 발전에 훨씬 더 기여한 사람들이라고 생각한다. 정의롭게 살고자 하는 그들이 바닥에서 쳐다본 한국 정치나 정당, 국가는 전혀 믿고 의탁할 대상이 아니었기 때문에 그들은 진보정당에 기대를 걸었을 것이다.

통합진보당을 희생양 만들어 죽이고 나면, 집권세력의 정치적 위기는 순간적으로 모면되고, 이후 야당과 비판적 사회세력의 도전을 효과적으로 차단할 수 있을지 모르지만, 사실상 섬나라인 남한의 정치와 사회는 단색으로 칠해진 꽉 막힌 암흑천지가 될 것이며, 국제사회에서는 더욱더 비웃음거리가 될 것이다. 또한 자신의 '언어'와 지지할 정치지도자를 잃어버린 시민, 노동자의 좌절감과 정치적 무관심은 국가와 사회를 붕괴시키는 독소가 될 것이다. 이렇게 진보정당이 모두 사라질 경우 정치·이데올로기의 지형은 훨씬 좁아져, 일본처럼 보수정당의 독재가 고착화되어 정치적 다양성과 사회경제의 역동성이 사라지거나, 미국처럼 극심한 불평등과 폭력이 반복되는 나라가 될지 모른다. 헌재 결정이 미칠 장기적 해악이 통합진보당의 해악보다 훨씬 큰 이유가 여기에 있다.

남북한 평화·통일, 심각한 불평등 개선과 노동자 권리 증대, 복지의 확충과 자영업자의 권리 보장을 일관되게 추진하는 새로운 진보정당 건설은 여전히 필요하다. 북유럽 국가들이 지구상에서 가장 살기 좋은 나라가 된 것은 바로 사민당이나 노동당 등 진보정당이 오래 집권했기 때문이라는 것을 잊어서는 안 된다.

2014-12-23

대한민국호는 이미 침몰 중이었다

슬프다. 참 많이 슬프다. 80년 5·18 때는 분노가 컸지만, 이번에는 슬픔이 분노보다 크다.

세월호 사고의 원인은 아직 밝혀지지 않았다. 그런데 살릴 수도 있었을 수많은 어린 목숨을 결과적으로 바다에 수장시킨 이 정부의 대처 과정에 의혹이 가중되면서 그 실상도 하나씩 드러나고 있다. 조난 및 구조 과정에 대한 정보는 통제되고, 희생자들의 항의는 경찰력에 의해 봉쇄되고 있다.

대한민국이라는 배는 이미 바닥 틈으로 물이 들어와 서서히 침몰하는 중이었다. 스며드는 물에 의해 매년 1만 6,000여명의 사람들이 비자연적인 이유(자살)로 소리 없이 죽어가고 있었지만, 이번처럼 외부의 충격을 받아 배에 작은 구멍이라도 나면 선실 바닥 사람들 수십, 수백명이 한꺼번에 죽기도 한다.

대한민국호의 바닥 틈은 옛날에 생긴 것도 있고, 더러는 김대중·노무현 정부가 만든 것들이다. 그러나 가장 큰 틈은 이명박·박근혜 정부가 만들었다. 이 두 정부는 김·노 정부가 틀어막으려 했던 틈을 더 크게 벌려놓았다. 사고 배에서 탈출한 선장 1호는 이승만이다. 그때 선장과 선원들은 모두 국민들에게 배를 지키자고 거짓말을 한 다음 자신들은 탈출했다. 미국이 우리 배를 구제했다고 주장하면서 책임을 지기는커녕 공을 강조하던 그는 자애로운 아버지 이미지로 연기를 하다가 결국 국민들에 의해 쫓겨났다.

이·박 정부의 핵심 국가기관, 금융기관, 권력자들은 무수한 범법 행위를 저질렀다. 이 모든 범죄의 윗선은 하나도 밝혀지지 않았고 제대로 처벌된 사람도 없다. 이 두 정부의 최고위층 상당수는 크고 작은 범법 이력을 가진 자들로 채워졌고, 공직에 있었다고는 믿어지지 않을 정도의 재력가들이었다. 또한 김·노 정부에서 만들어놓은 각종 안보, 재난관리 대책, 중요 국가 정보를 쓰레기통에 처박아 넣거나 필요할 때 정치적으로 이용했고 해당 분야에 아무리 높은 전문성을 갖춘 사람이라도 자기편이 아니면 갈아치웠다. 특히 박근혜 정부는 소신을 갖고 국정원 범죄를 수사하던 검찰 총수를 핵심 국가기관을 총동원하여 찍어낸 혐의가 있다. 국가의 윗자리는 자신에게 충성하는 사람만으로 채웠고, 기업의 아랫자리는 모두 1~2년 계약의 비정규직으로 채웠다. 이·박 정부는 기업범죄는 범죄가 아니라는 신호를 확실히 주었기 때문에 기업가들은 사람의 생명과 안전은 안중에 두지 않았다. 소신과 전문성 대신에 오직 충성만이 중요한 세상에서 의인은 사라졌고 아마추어들이 판쳤으며, 국민의 안전을 돌보아야 할 공직자들은 오직 위만 쳐다볼 뿐 2·3등칸 국민들은 관심 밖으로 돌렸다. 혹 몇사람이 배의 바닥에서 물이 들어온다고 소리지르면 경찰과 검찰이 '종북파'라고 겁박을 했다.

선상 '극장'에서는 파티가 열렸고, 언론은 '행정안전'을 '안전행정'으로 바꾸었다는 식의 그럴듯한 말과 연출된 행동만 비췄다. 선상 무대의 주역들은 개인용 구명보트로 탈출할 준비가 되어 있었다. 이것을 본 대한민국호의 말단 선원들은 자기 일에 대한 자긍심, 직업의식과 책임감을 헌신짝처럼 버렸다.

권력자들이나 대기업의 범죄가 단죄되지 않고, 국민들이 그것에 항의할 수 없는 사회에서 관료조직은 억압기구에 불과했고, 국민의 주권은 상실된 상태였으며, 사회는 이미 파괴되었다. 세월호 사건에서 도망간 선장·선원은 윗사람들을 보고 따라한 사람일 따름이고 기업이 그들을 대우해준 대로 행동

했다. 사회가 파괴되면 작은 사고도 대참사가 되고, 대참사의 희생자들은 주로 선실 바닥의 사람들이다.

그러니 이 배의 본격적인 침몰은 이제부터다.

2014-04-21

두 과학자의 자살

모든 사람은 언젠가 반드시 죽는다는 것은 자연의 이치이지만, 사람들이 자살을 택하는 것은 그 사회와 정치의 병리 때문이다. 숭례문 복원에 사용된 나무가 국내산인지 검증하는 일을 맡았던 목재연륜 분야 국내 최고의 권위자 박아무개 교수의 자살과 2008년 당시 광우병 위험을 알렸던 수의사 박상표의 자살이 우리에게 충격을 주었다. 우리는 이들이 왜 자살이라는 길을 택했는지 잘 모른다. 그러나 그들은 자신의 분야에 남달리 깊은 전문적 지식과 강한 소신을 가진 사람으로 잘 알려져 있으며, 박 교수의 경우 죽기 전에 두 번이나 경찰 수사까지 받는 등 이 일로 강한 외부의 압력을 받은 의혹이 있다.

나는 이 두 사람 모두 자연과학도라는 점을 주목한다. 자연과학 전공자들은 인문사회과학도들에 비해 통상 덜 '정치적'이고, 정치에 관심도 덜하며, 세상을 단순하고 순수하게 보는 경향이 있다. 의학·법학 등 기술적 지식을 다루는 사람도 그렇다. 또 그래야 한다. 과학자나 기술자는 자신의 전문성으로 생계를 도모하며, 그 전문성이 자신의 자존심과 삶의 근거이자 보람이다. 이들에게 자신의 소신과 판단을 포기하고 권력의 요구에 복종하라는 말은 자신의 존재를 부정하라는 것과 마찬가지다. 그래서 우리는 과학기술자들의 합리적 의문과 판단에 귀를 기울여야 하고, 그들의 소신이 권력과 자본의 논리에 굴절되지 않도록 충분한 장치를 마련해야 하며, 이들 역시 자존심과 돈을 맞바꿔서는 안 된다.

그런데 우리 사회는 정치사회적으로 극히 민감한 사안에 대한 법·의학·물리학·공학 전공자들의 정당한 의문이나 판단을 경청하기는커녕, 오히려 자신의 소신을 고집하면서 사회에 경고를 보내는 전문가들을 조직 부적응자로 몰아가거나 최근에는 종북이라는 딱지까지 붙인다. 황우석 사태 이후 4대강, 삼성 백혈병 사고, 천안함 사고, 원전 사고 등 과학기술자들의 전문성과 판단이 필요한 일이 계속 발생했는데, 막상 그 사안의 진실을 잘 알고 있을 전문가들은 입을 다물고 있다. 천안함 침몰 건에 대해서도 국내 모든 물리학자들은 침묵하였으나, 오직 미국에서 활동하는 두 전문가만이 의문을 제기했고, 이 일로 당사자들은 입국 때 당국의 감시를 받는 등 큰 어려움을 겪었다. 전문가가 사실을 사실대로 말하거나 소신대로 발언하면 아직도 해고, 불이익, 따돌림을 당하고 심지어 목숨까지 걸어야 하는 나라가 한국이다.

특히 이명박·박근혜 정부는 소신 있는 전문가들의 입을 틀어막거나 자리에서 추방하였고, 그 대신 충성을 바치는 거짓 전문가들에게 출세의 길을 활짝 열어주었다. 그래서 사이비 과학자·검찰·공무원·의사·교수들이 설치는 대신, 양심에 따라 행동하는 사람들이 자취를 감추었다. 전문가들이 정부나 대기업의 허위 보고서를 보고도 침묵하거나, 양심의 갈등을 못 이겨 자살까지 하는 사회. 사이비 전문가들이 영혼을 팔아 출세하는 사회는 이미 기둥이 썩어가는 집과 같다. 전문가들의 뭉개진 자존심은 곧 부메랑이 되어 사회로 돌아온다. 큰 상을 받아 마땅한 보석 같은 존재들이, 반대로 고뇌하다 죽음을 택하는 현실은 이 사회의 건강성과 도덕성이 막장에 달했음을 의미한다.

박 교수의 자살 사건에 대한 철저한 진상규명을 요구한다. 그리고 전문가가 소신을 표현하고도 불이익을 당하지 않을 수 있는 법적·제도적 장치를 만들어야 한다. 학회나 협회 등 전문가 집단은 구성원을 보호할 수 있는 도덕적 힘을 갖추어야 한다.

2014-01-27

고향은 돈으로 살 수 없다

밀양 송전탑 사태는 경남 산골 마을에서 일어난 매우 작은 사건처럼 보이지만, 박근혜 정권의 갈등해결 능력을 보여준 큰 시험대였다. 이명박 정권은 용산·강정 등지에서 이런 밀어붙이기 식의 대규모 국책사업 수행으로 심각한 충돌을 빚은 바 있는데, 박근혜 정권은 시골의 70~80대 노인들과 전쟁을 벌인 것이다. 이명박 정부는 용산 세입자들을 '도심테러범'이라고 낙인을 찍은 다음 진압을 했지만, 박근혜 정부가 시골 노인들이나 '외부세력'에게 '종북'의 낙인을 찍는 것은 가당찮은 일이었고, 수천명의 경찰이 힘없는 노인들을 진압한다는 것도 웃음거리가 될 판이었다.

그들은 "그깟 시골 노인 몇명 때문에 이 중요한 국책사업

수행을 8년 동안 끌어오다니" 하는 소리가 목구멍까지 차올랐을 것이다. 정부는 보상안을 확정해서 개별 보상에 들어갔고, 정홍원 총리가 현장을 방문한 다음 공사를 재개했다. 그러나 노인들은 쇠사슬로 몸을 묶고, 구덩이를 파고 들어가 죽기를 각오하고 항의했다. 급기야 30여명의 노인들이 병원으로 실려 가기도 했고, 11명의 연행자가 발생했다. 정부는 항의하는 주민을 이기주의자라고 몰아붙이고 나머지 주민들에게는 약간의 돈을 안겨준 다음, 그래도 계속 항의하는 사람들은 '법'에 따라 처벌하면 된다고 생각했던 것 같다.

구덩이 파고 죽을 자리에 들어간 '달관한' 노인들에게 보상대책은 무의미하다. 국가나 공기업의 행정집행 과정에서 관성적으로 반복되었던 일방주의, 국민 멸시 태도가 이들의 자존심을 건드렸다. 2012년 당시 74세로 분신자살한 이치우 씨도 용역업체가 자신의 논에 콘크리트를 붓는 등 극히 모욕적인 일을 당하고 분함을 이기지 못해 자결을 하였다. 이곳의 노인들에게 땅은 부동산이 아니라, 평생 가족의 끼니를 해결했던 삶의 터전이고 가족과 이웃의 추억이 담긴 존재의 기반이었다. 이들은 아파트 시세차액을 남기기 위해 수도 없이 이사를 하면서 집을 돈으로 생각하며 살아온 서울사람들, 특히 이번 일을 결정한 '높은 사람'들과는 근본적으로 다른 삶을 살아왔다. 이들에게 집과 땅과 고향은 돈으로 살 수 있는 것이 아니었다. 또한 자기가 평생 살아온 고향에서 계속 살아갈 권리가 있었다. 외부세력과 결탁한 이기주의자들이 여론을 무시하면서 저항한다는 '선무공작'은 이들의 분노만 키웠다. 정부는 왜 이들이 '서울사람들'을 위해 자신의 삶의 터전을 헐값으로 내놓아야 하는지에 대한 물음에 시원하게 답한 적이 없다.

전문가들은, 밀양 송전탑은 장차 건설될 신고리 5~8호기 등 정부의 원전 확대 정책 및 노후 원전 수명 연장 작업과 연동되어 있다는 비판을 제기하였으며, 그래서 전력 생산에서 핵에너지 비중을 낮추면 송전탑 강행의 설득력도 떨어진다고 말했다. 물론 전력요금 인상 등 여러 가지 문제가 발생할 것이기 때문에 이 사안을 둘러싼 국민적 토론이 필요했다. 이 사업이 정말 국가의 미래가 걸린 피할 수 없는 일이라면, 모든 내용과 추진 과정을 그대로 공개하고, 주민들을 모든 과정에 참여시켜야 했다. 또한 장차 혜택을 볼 기업과 수도권의 주민들이 더 많은 비용을 치르도록 해야 했으며, 피해자들이 삶의 조건을 그대로 유지할 수 있도록 배려해주어야 했다.

박정희 시절처럼 힘없는 빈민들을 트럭에 실어 광주 대단지(성남)에 내다 버릴 수도 없게 되었으니 이 일을 어찌한단 말인가? '매수'와 '진압'으로 갈등을 해결하던 시대는 지났다. 정부와 한전은 할 만큼 했다고? 천만에. 제대로 시작도 하지 않았다.

2013-10-14

자살 유발 사회

올봄에는 날씨가 유난히 변덕스러워서 그런지 개나리, 목련, 진달래, 벚꽃 등 약간의 시차를 두고 피던 꽃이 거의 동시에 산야를 덮고 있다. 게다가 이제 막 돋아난 연두색의 신록까지 더하니 정말 자연이 주는 새 생명의 향연에 흥이 절로 나고, 감흥을 주체할 길이 없다. 그러나 이 생명의 잔치 뒤에는 죽음의 그림자가 어른거린다. 이 잔치에 초대받기는커녕, 스스로 삶을 포기하는 사람이 하루 평균 43명이나 된다고 한다. 남은 가족들의 비통한 마음을 생각하면, 같은 땅에 살면서 봄을 즐기는 것도 죄스럽다. 신이 준 소중한 생명을 인위적으로 버려서는 안 되며, 만약 어떤 보이지 않는 힘이 그렇게 만든다면 그것이야말로 최대의 범죄가 아닐 수 없다.

우리나라가 지난 8년 동안 OECD 국가 중 자살률 1위를 기록하고 있고 이는 OECD 평균의 2배라는 것을 생각하면, "우리는 문명을 향해 달려왔는데, 도착하고 보니 야만이더라"라는 글귀가 생각난다. 즉 한국은 경제성장과 근대화에 성공한 나라라고들 자랑하지만, 사실 깊은 병에 걸려 있으며, 이제는 성장과 경쟁이라는 우상에 사로잡혀 왜 우리가 그 길로 가려 했었는지에 대한 질문조차 던지기를 포기하고, 그래서 치유의 길까지 잃어버린 나라가 되었다. 국민의 행복지수가 세계 150개국 중 56위에 머물고, 생명의 약동을 마음껏 자랑해야 할 청소년 2명 중 1명이 자살을 생각하는 나라를 발전된 나라, 문명국가라 부를 수 있겠는가? 우리는 자살 유발 후진국에 살고 있다.

그런데 매년 증가하기만 하는 자살자보다 더 심각한 것은 그 자살을 오직 개인 문제로 치부하면서 통계가 보여주는 진실을 외면하는 정치권과 사회의 태도다. 청소년, 장년, 노인층 각각의 자살 이유나 배경도 물론 상이하다. 그러나 특정 집단이나 계층의 자살 빈도나 양상에서 의미있는 특징이 나타나도 계속 개인의 선택이라고 우길 것인가?

외국 연구에서도 노동자와 군인의 자살 위험이 높다는 조사가 있고, 한국에서도 이미 제주대 의대팀, 최근 보건사회연구원 조사에서 최하위 계층의 자살 위험도가 가장 높다는 조사결과가 나왔다. 서울시의 '자살 고위험 지역'은 대체로 다

세대 밀집지역, 영구임대아파트, 쪽방촌 등의 빈민 주거지역이라는 조사결과도 있다. 쌍용차 노동자들이나 비정규직 노동자, 사회복지사들의 높은 자살 빈도 역시 생활고, 실적 경쟁 스트레스, 희망 상실 등이 원인이라는 점이 확인되었다. 우리 사회의 자살은 개인적 선택이 아니라 사회적 연관성이 매우 높으며, 따라서 대부분의 경우 사회적 타살의 성격이 강하다. 서울 노원구에서 자살 위험 집단을 선정하여 집중적으로 관리한 결과 자살률이 낮아졌다는 사실은 역으로 한국에서의 자살이 주로 사회가 유발한 것임을 입증한다.

원인은 다양하지만, 자살은 사회의 도덕적 붕괴를 웅변해주는 현상이다. 인간이 인간으로 대접받기보다는 생존의 전쟁터에 나간 전사처럼 도구화될 때, 이 전쟁터에서 살아남기 위해 비굴해지기를 강요하고 대열에서 탈락한 사람의 손을 아무도 잡아주지 않을 때, 사람들은 희망의 끈을 놓아버리기 쉽다. 여린 생명체인 인간에게 따사로운 봄볕 같은 사회의 배려와 관심이 주어지지 않는다면 고귀한 생명은 올봄의 피다 만 꽃처럼 사라져갈 것이다. 각종 예방조치도 중요하지만, 잔혹한 경쟁의 채찍을 과감히 거두어야 한다. 국가나 사회의 기본 목표와 방향을 돌리지 않는 한 우리는 죽음의 행진을 멈출 수 없을 것이다.

살아 있음에 감사하자. 그러나 죽은 자의 무언의 외침을 듣자.

2013-04-29

5부

존중받는 노동, 살아나는 사회

법대로 하면서 돈 벌 수는 없나

봉준호 감독이 「기생충」으로 칸 영화제에서 황금종려상을 받았다는 소식이 온 국민을 기쁘게 했다. 더욱이 제작 과정에서 표준근로계약을 지키고서 이런 상을 받았다는 것이 큰 화제가 되었다. 영화 스태프들에게 4대보험 가입, 초과근무수당 지급, 계약기간 등 표준근로계약을 지키면 당연히 제작비가 늘어나지만, 그것을 감수하고서 영화를 제작해 이러한 큰 상을 탔다는 것은 우리 사회에 매우 큰 의미를 지닌다.

거꾸로 생각해보면 그 전의 '성공한' 한국 영화들은 스태프들에게 돌아갈 임금, 재충전 시간, 땀과 노력을 훔친 대가로, 즉 법을 제대로 지키기 않거나 부당노동행위에 기초해서 얻은 것일 수 있다. 이는 재능과 잠재력이 많은 젊은 영화인들에게 환멸과 좌절을 안겨주었을지 모른다. 그래서 봉준호의 성공은 덤핑 자본주의, 즉 일하는 사람들에게 주어야 할 몫을 주지 않고서 얻은 성공에 일대 경종을 울린다.

그나마 영화산업이니까 이게 가능했던 것이 아닐까? 문재인 정부는 국제노동기구ILO의 187개 회원국 가운데 154개국이 비준한 '결사의자유및단결권보장' 관련 협약 87조를 아직 비준하지 못하고 있다. 특수고용직이나 해직 노동자들, 공무원들이 노조를 결성하게 되면 한국 기업과 경제가 지탱될 수 없다고 생각하기 때문일 것이다. 노동자들의 권리를 제한하고, 사용자의 부당노동행위를 용인해야 기업이 돈을 벌 수 있다면, 그런 나라는 도대체 어떤 나라일까? 아직 한국은 기술력이 아닌 임금비용으로 경쟁력을 유지하는 후발국인가?

세계 초일류 기업 삼성이 삼성바이오로직스 회계를 조작한 사실이 속속 드러나고 있다. 회계 장부와 주가를 조작해 투자자와 소비자를 속이고 삼성물산과 제일모직의 합병 비율을 부당하게 산정해 몸집을 키운 삼성이 세계 초초일류 기업이 되면, 더 많은 일자리가 창출되고 한국인들은 더 큰 자부심을 가질까? 시장질서를 교란한 다음 얻어낸 세계 일류의 뒤안길에는 누가 있을까? 「기생충」의 스태프는 기껏해야 몇백명 정도겠지만, 재벌의 범법 뒤에는 수십만명의 개미군단, 수백개의 하청 중소기업과 그곳에 고용된 수십만명의 종업원들과 알바생들의 피눈물이 흐르고 있다. 표준근로계약을 지키지 않으면 재능 있는 젊은이들이 영화계를 떠나고, 재벌의 범법으로 경제생태계가 망가지면 수백 수천개의 혁신 중소기업이 죽고 수십만명 미래 일자리가 사라지는 것이 아닐까?

법원·정치권·정부는 모두 초일류 한국 기업을 더 밀어줘서 경제를 살리자고 그들의 범법을 묵인하고, 언론은 한국의 반기업 정서가 너무 커서 경제가 어렵다고 매일 외친다. 내야 할 세금을 내지 않고, 노동자들에게 응당 지급해야 할 임금과 휴식을 제공하지 않고, 하청기업한테 갑질을 해서 얻는 성공은 과연 지속 가능한 성공인가? 그것은 불법 어망을 몰래 사용해서 치어까지 모두 잡아들여 얻어낸 어획고와 같은 것이 아닐까? 30만원짜리 구두 한 켤레 만드는 데 제화 기술자들에게 겨우 7천원의 노임만 주는 현실에서 누가 땀 흘려 일하려 할까?

규정과 상식과 법을 지키지 않는데도 박수를 보내고 정치권·정부·법원이 이런 졸부들의 경제력이 두려워 규정을 접는다면, 사회적 신뢰가 무너지는 것은 너무나 당연하며, 상식과 법을 지키다 패배한 대다수 국민들의 동의와 참여를 이끌어내기 어려울 것이다. 법을 어겨야 돈을 벌 수 있는 나라는 얼마나 비루한가? '법의 집행'이 평등하게 이뤄진다고 보는 한국인들이 12.5%에 불과하다는 보건사회연구원의 최근 조사는 한국이 '엉망진창 자본주의'라는 사실을 보여준다.

한국은 20년째 후발국에서 선진국으로 '전환하는 계곡'에 갇혀 있다. 전세계를 뒤흔드는 '방탄소년단'BTS을 자랑하는 한국 뒤에는 '표준근로계약'과 단결권이 보장되지 않은 사업장에서 80년 '광주사태' 당시 학살당한 사람의 5배 이상이 매년 사망하는 또 하나의 한국이 있다. '전환'은 신뢰와 사회통합을 전제로 하며, 줄 것을 주고 법과 규정을 지키면서 돈을 벌 수 있는 사회로 가는 것이다. 2016~2017 촛불시위는 전환의 정언명령이자 힘센 놈 밀어주어 잘살아보자는 이명박·박근혜식 개발독재 논리에 대한 경고장이었다. 그런데 문재인 정부 들어서도 정치권·정부·법원이 여전히 '특수 사정' 때문에 '국제 기준'을 지킬 수 없다고 말하면 한국은 이 전환의 계곡에서 빠져나가기 어려울 것이다.

2019-06-04

이 경제권력을 어찌할 것인가?

대한항공과 아시아나항공 직원들이 광화문광장에서 시위를 벌였다. 정말 옛날에는 상상할 수 없던 일이다. 회사로부터 당한 부당한 대우가 얼마나 심각했는가를 보여주는 사건이 아닐 수 없다. 2016~2017 촛불시위 때도 가면 쓰고 거리에 나온 사람들은 없었는데 그들은 가면을 쓰고 시위를 벌였다. 우리는 그 이유를 잘 알고 있다. 피고용자들에게 사용자는 대통령이나 국정원보다 더 무서운 존재이기 때문이다. 만약 사용자가 독점대기업의 세습 총수라면 피고용자나 하청기업에 그의 권력은 거의 염라대왕과 동급일 것이다.

대한항공 회장과 두 딸에 대한 구속영장 청구는 모두 기각되었다. 검찰의 영장 청구가 다소 무리한 것이었는지는 모르겠다. 그러나 노동자를 구속할 때 판사들이 이렇게 구속 요건을 충실히 검토한 사례가 있었던가? 중앙노동위원회에서 부당노동행위로 인정을 받는 사용자는 5%에 불과하고, 유죄의 99%도 벌금형이라고 한다. 한국에서 회계조작 등으로 시장질서를 교란하고 주식 투자자를 농락한 사용자나 기업이 퇴출된 일이 있었나? 그런데도 '시장경제'는 헌법적 가치 안에 있는가?

복직을 기다리던 쌍용차 노동자가 서른번째 자살을 했고, 건설 하도급 업체 사장이 분신자살을 했다. 그들은 왜 그랬을까? 대기업의 '갑질' 앞에 더이상 버틸 수 없다고 봤기 때문이 아닐까? 즉 재벌대기업이 아무리 부당한 일을 저질러도 그것을 시정할 수 없고, 자신의 억울함을 풀어줄 검찰·법원·정당·언론이 없다고 봤기 때문일 것이다. 이 역시 항공사 직원들의 가면 시위와 같은 현상이다. 기업권력은 여전히 정치권력 저 위에 있다.

항소심에서 삼성 총수 이재용을 풀어준 판사는 이재용이 박근혜 대통령의 강요를 받은 피해자라고 보았다. 여전히 정치권력이 '갑'이고 기업은 '을'이라는 논리인데, 박정희·전두환 정권 시절이라면 이 말이 맞을지 모른다. '우수한 두뇌'를 자랑하는 판사들이 시대의 변화를 못 따라가는 것이 아니라 지금의 실질권력을 너무 잘 알고 있다고 봐야 할 것 같다. 즉 우리 사회에 재벌대기업과 건물주의 갑질이 만연한 이유는 그들에게 매우 유리하게 되어 있는 제반 법·정책들이 시행되기 때문이고, 그들은 그런 법조차 지키지 않아도 처벌되지 않거나 극히 경미한 처벌만 당하기 때문이며, 정부와 법원, 그리고 언론과 대다수 법학자와 경제학자들이 그것을 옹호해주기 때문일 것이다.

한국에서 재산권·경영권은 신의 계율에 가깝고 그것을 최종적으로 확인하는 것이 대법원과 헌재다. 그런데 한국 사법부의 신뢰도는 26% 내외로 OECD에서 거의 최하위권이며, 정부·정치권에 대한 신뢰도도 거의 같은 수준이다. 국민들이 생각하는 정의·공정은 사법부·정치권의 생각과는 완전 딴판이다. 국민들 다수는 대기업의 기여를 인정하면서도 기업의 갑질과 그것을 옹호하는 사법부와 정치권은 매우 부당하다고 생각하고 있다. 그들은 평소에는 그냥 불만을 품고 살다가 막상 자신이 막판에 몰렸을 때 극한 행동을 한다.

지난 2016~2017 촛불시위에서 표출된 국민들의 요구를 한마디로 요약하면 바로 '공정'이었다. 그들이 생각하는 공정은 곧 갑질, 특권, 부당이득을 없애는 것이다. 취업시장, 골목시장, 중소기업 기술개발, 조세제도 등 여러 영역에서 정치경제적 강자들이 힘을 갖거나 토지를 독점한다는 이유만으로 부를 취해온 관행을 교정해달라는 것이었다. 지금 시중의 돈은 모두 부동산에 몰려 있어 서민들은 쓸 돈이 없고, 자영업자는 무너지고 있다. 그런데 최근의 부동산 세제개편은 좌절감만

더해주었다.

물론 대통령과 정부는 이 막강한 경제권력과 관행화된 불공정의 바다 위에 떠 있는 작은 배 정도일지 모른다. 그러나 선출권력이 못하면 누가 할 수 있나? 국민 다수가 문재인 정부를 지지한 것은 선출된 권력의 힘으로 경제권력을 제압해 달라는 기대가 표현된 것이다. 경제 활성화는 정치적 의지만으로 되는 일은 아니지만, 갑질 근절, 불로소득 환수, 경제적 약자의 자력화를 위한 제반 조치, 사회안전망 확대는 온전히 정치의 영역이다. 그리고 이런 세습 자본주의, 경제 강자의 만연한 갑질을 교정하지 않고 혁신 경제는 가능할 것 같지 않다.

대한민국은 지금 기로에 서 있다.

2018-07-17

아파트 공화국의 가족주의

서울시교육청은 2018년 3월 26일 강서구 옛 공진초등학교에서 '주민과 교육공동체가 함께하는 서울 특수학교 설립추진 설명회'를 열었으나 '특수학교 설립 반대 추진 비상대책위원회'(비대위) 소속 회원과 주민 20여명은 '설명회 즉각 철회하라'는 문구가 적힌 현수막을 내걸었고, 결국 설명회장에 입장하려는 조희연 교육감을 막아서며 몸싸움까지 일어났다. 2017년 설명회에서 장애학생 부모들이 무릎까지 꿇고 학교 설립을 호소했으나 소용이 없었듯 두번째 설명회도 무산되었다.

특수학교가 들어서면 아파트값이 떨어진다고 생각하는 주

민들의 특수학교 설립 반대는 어제오늘의 일이 아니다. 강남 아파트가 수억원 올라도 자기 동네 아파트는 그대로이기 때문에 큰 손해를 입었다고 생각하는 이들의 박탈감을 달래기 쉽지 않다. 2017년 말부터 시작된 강남과 서울의 아파트 가격 폭등을 주도한 사람들은 50대 이상의 장노년층이라고 한다. 이들은 운이 좋으면 아파트 사서 수억원 벌고 불안한 노후를 확실하게 보장받을 수 있다는 것을 수십년 동안 체득한 사람들이다. 그렇게 재테크에 성공한 이들은 재산을 자녀들에게 물려주는 것이 부모로서 할 일 다 하는 것이라 생각한다.

2006년 서울시장 선거에서 뉴타운 건설을 약속한 오세훈을 밀었던 사람들이 이런 생각을 가졌고, 2007년 대선에서 이명박 후보에게 몰표를 던져준 사람들도 그렇다. 60~70년대 뼈저린 가난을 체험했을 이 세대들은 이명박이 그러했듯이 개발 정보를 얻어서 해당 지역 땅을 미리 사두어 수십 수백 배의 차익을 얻은 다음, 주식 등에 투자해서 자녀들에게 편법 상속을 시도한다. 별로 가진 것이 없는 보통의 이명박 세대들도 공공복지가 취약한 이 나라에서 아파트 한 채 자녀들에게 물려주는 것이 가장 확실한 복지라는 것을 안다.

부동산 투자로 수억원 버는 것을 행운이자 능력이라고 생각하는 그들에게 토지공개념이니 부동산 보유세 인상이니 하는 정책은 '빨갱이'들의 주장으로 들릴 것이다. 70년대 이후 역대 정부의 도시 재개발 정책이나 구멍 많은 조세정책이 그들에게 이렇게 돈을 벌 수 있는 기회를 제공해주었다. 그리고 가족 외의 이웃을 돌아볼 여유가 없으니 그들의 가족 투자, 가족 상속 행동은 그들이 살아온 세상에서는 가장 합리적인 선택이었다.

그런데 그들이 생각지도 못했던 심각한 일이 생겼다. 계속되는 이 최악의 미세먼지는 그들과 그들의 손자녀들을 피해가지 않는다. 그뿐인가? 모든 것이 오염된 세상에서 그들의 손자녀들도 안전한 물, 음식과 생선을 즐길 수 없게 되었다. 그들의 손자녀는 이제 일자리도 못 구하고, 결혼도 하지 못하며, 결혼해도 자녀를 출산하지 않는다. 그들이 불로소득을 얻는 동안 비싼 임대료를 감당할 자신이 없는 자영업자들은 문을 닫고 거리로 내몰리고, 집 없는 사람의 손자녀들은 주거난민이 되어 떠돌거나 서울에서 점점 더 먼 곳으로 이사를 가야 하고, 하루 2시간 이상 출퇴근길에 지친 몸을 의탁해야 한다.

지금 한국의 갑남을녀 중산층 장노년 수백만명으로 하여금 특수학교 설립을 결사반대하거나 아파트 투기 대열에 들어서게 만든 것은 역대 정부나 정치권의 부동산 부양, 재벌 특혜, 규제완화 정책이었다. 충분한 노후보장을 받을 수 있는 고학력 판검사, 의사, 고위 공직에 있었던 사람들이 오히려 그 대열에 앞장선 것 역시 우리 사회의 비극이다. 그것은 교육은 물론이고 유교 전통이나 기독교 사상과도 전혀 무관한, 그저 동물적인 삶이다. 그들이 받은 고등교육이나 지금 그들의 직업적 업무는 공익을 무시하고 자신의 손자녀들의 행복에 올인하라고 가르쳤을 리 없기 때문이다.

이미 성공한 장노년층은 자신의 삶의 방식을 바꾸려 하지 않을 것이다. 그러나 정부는 40대 이하 청년들에게 이렇게 살아가라는 신호를 줘서는 안 된다. 또한 아파트 살 돈이 없어 돈 벌 기회를 놓쳤다고 생각하는, 노후의 생계만이라도 보장받기를 원하는 대다수 장노년층의 박탈감을 달래야 한다. 그러자면 아파트 분양정책, 조세정책, 도시개발정책을 전면 재고해야 한다. 공공복지를 더 확충해야 하며, 재력은 있으나 자녀들에게 상속하는 것이 옳지 않다고 생각하는 노인들이 공익기부를 통해 사회에 기여할 수 있는 길을 열어야 한다.

2018-03-27

한국은 IMF 관리체제에서 벗어났나?

1997년 외환위기, 국가의 경제주권 상실이라는 대환란을 맞은 지 20여년이 되었다. 김대중 정부는 가장 빠른 기간에 이 환란에서 벗어났다는 찬사를 받았다. 과연 그런가? 한국은 분명 급한 병은 고쳤지만, 만성질환을 안고 사는 환자가 된 것은 아닐까? 오늘의 한국은 부의 양극화, 불평등, 그리고 계층 고착화와 신세습사회의 증상을 심각하게 앓고 있고, 이 질병은 주로 외환위기와 이후의 구조조정에서 시작되었다.

자산격차나 소득격차에서 한국은 미국 다음의 세계 최대 불평등 국가가 되었다. 한국은 상위 10%가 소득의 47%를 가진 나라, 상위 1%가 전국 토지의 반을 차지한 나라가 되었다.

비정규직 고용의 일반화, 청년실업, 30~40대 대도시 거주자 주거 빈곤의 상당 부분은 모두 우리가 국제통화기금IMF이 요구한 사항을 따른 결과였다. 게다가 한국 청소년의 반이 부모의 능력이 자신의 미래를 좌우한다고 생각하는 '신세습사회'가 되었다.

사실 외환위기는 하늘이 내린 벌이 아니었다. 위기의 징후는 김영삼 정부 전후 자본자유화, 개방, 자율, 민영화, 세계화 구호가 요란할 때부터 드러났다. OECD 가입이 곧 선진국 진입이라고 착각했던 김영삼 정부는 그 중요한 전환기에 상황을 읽고 대처할 능력이 부족했다. 탈공업화, 후기 개발독재 시대, 중국과 후발국의 추격에 맞서 기존의 생산체제를 전면 재편해야 했으나 그러지 못했고, 북한과의 대화를 지속하고 북방정책을 밀고 나가야 했으나 '김일성 조문 파동'을 빌미로 그 문을 닫았고, 노조의 파업을 '체제 전복' 행동이라고 공격하면서 밑으로부터의 경제민주화 요구를 차단했다.

그뿐인가? 인구절벽과 고령화의 위험, 학령인구의 감소, 수도권 집중 강화와 지방 소멸의 징후가 보이기 시작했으나 그 어느것도 제대로 대비하지 못했다. 87년부터 97년까지의 10년은 한국 자본주의와 민주주의가 질적인 변신을 감행해야 할 결정적인 전환기였지만, 한국의 정치권, 관료집단, 학자들은 국가 미래를 위한 프로젝트를 가동하지 못했고, 경제력의 재벌 집중과 무책임한 외화 과다차입에 손을 놓고 바라보기만 했다.

정치지도자들만큼이나 책임을 가진 집단은 경제관료들이었다. 미국의 경제학자 스티글리츠J. Stiglitz는 한국의 우수한 엘리트 관료들이 오만하고 무리한 IMF의 요구를 반론조차 제기하지 못하고 100% 수용했다고 비판했다. 일부 경제관료들은 국민의 자산인 공기업을 외국 투기자본에 넘겨주는 과정에서 큰 이익까지 챙겼다.

모두가 잘 알고 있지만, 경제주권을 상실한 대가는 참담했다. 김대중·노무현 정부의 민주화 조처나 복지정책은 대중들의 '경제주권 상실' 상태를 만회하기에는 역부족이었다. 금융기관을 비롯한 한국의 주요 대기업의 주식은 외국자본의 손에 넘어갔고, 그들에게 막대한 배당을 챙겨주는 재벌경제 시스템이 강화되어 반실업자나 비정규직으로 살아갈 수밖에 없는 노동자들은 고통의 책임을 누구에게 물어야 할지 모르게 되었으며, 보통의 국민들은 정권교체가 자신의 삶을 개선하지 못한다는 사실을 깨달았다.

한국만의 현상은 아니다. 이제 세계화와 신자유주의는 저물고 다시 국가의 시대가 왔다. 미국의 트럼프 당선, 일본의 아베 승리, 영국의 브렉시트, 독일 신나치당의 의회 진출 등 세계적 우익 포퓰리즘은 경제주권을 상실한 중하층민들의 분노 표현이다. 그들은 애국주의라는 '독이 든 약'을 삼키고 있지만, 국가는 아직 그들의 것이 아니다.

한국의 촛불시위는 '정치적 주권' 상실에 대한 분노가 이들 나라와는 다른 방향으로 터져나온 것이다. 정말로 다행한 일이고 긍정적인 신호다. 그러나 1997년 IMF가 강요했던 논리와 그것에 편승해서 이익을 챙겨온 '현지인'들은 건재하다. 시장·경쟁을 마치 자연법칙과 같은 것으로 설명해온 논리하에서 대중은 '경제주권' 상실 상태에 있다.

지난 20여년 동안 한국은 사실 외환위기의 그늘 아래 있었다. 국정원의 권력농단 역사가 밝혀지면서 우리는 '정치주권' 회복의 기대를 갖고 있다. 그러나 국제금융자본-재벌-경제관료가 가져간 '경제주권'을 어떻게 찾을 것인지에 대한 집단적 논의는 아직 시작되지 않았다. 새 사회경제시스템 구축을 위한 논의를 다시 시작해야 한다.

2017-11-07

청년 26만이 공시족인 나라

통계청 발표에 의하면 취업준비생 65만명 중 40%인 26만명이 공시족, 즉 공무원시험을 준비하는 사람들이라고 한다. 2015년 9급 공무원 공채 시험에는 22만명이 응시하여 51 대 1의 경쟁을 보였다. 실제 공무원시험 준비하는 사람은 40만명 정도라 하고, 직장인 38%가 생업과 공무원시험을 병행한다는 믿기 어려운 조사결과도 있다.

한국에서 공무원이 너무 많은 특권을 갖고 있기 때문일까? 그런 점도 있다. 청년들의 안정 지향, 그리고 한국 사회의 관존민비 전통이나 노동천시 문화 탓도 있을 것이다. 그러나 공무원시험 준비하는 사람들은 사기업의 근무조건이 열악하고 고용이 너무 불안하기 때문에 공시에 매달린다고 이야기한다. 한국경영자총협회(경총)의 조사결과를 보면 기업 신입사원의 27.7%는 1년 안에 회사를 그만둔다고 하는데 기업의 숨막히는 조직문화가 주요 사직 이유라고 한다. 외환위기 이후 기업의 고용조건이 극히 불안해졌지만, 사회적 안전망은 제대로 갖춰지지 못했다. 정규직의 좋은 일자리 찾는 것은 하늘의 별 따기가 되었고, 일단 중소기업에 들어가면 대기업으로 올라타기 어렵다. 대기업에 들어가더라도 극심한 경쟁과 권위주의적인 조직문화에 시달리며 '저녁이 없는 삶'을 지속해야 한다.

결국 공시족 폭발은 공직이 천국이어서가 아니라 사기업에 자신의 현재와 미래를 의탁할 수 없는 데 기인한다. 공무원시험 응시 나이제한이 폐지된 이후 다년간 시험을 준비하는 사람도 꽤 많아졌고, 쉰살이 넘어 공무원이 된 사람들 이야기도 심심찮게 들린다. 사정이 이러하니 공시족의 경우 3년 정도가 지나면 인간관계가 단절되고 의욕도 상실한 자폐적 존재가 된다고 한다.

물론 공무원의 역할이 중요하다. 그러나 그들은 새로운 것을 만들어내거나 변화를 이끌어내기 힘들다. 도전과 변화를 감행해야 할 우수한 청년들이 안정을 찾아 이렇게 공시에 몰려드는 것은 국가적으로 매우 좋지 않은 징조다. 게다가 2년 혹은 4년 동안 비싼 등록금과 귀중한 시간을 바치고도 전공과 거의 무관한 공시를 별도로 준비한다는 사실은 국가경제적으로 큰 손실일뿐더러 대학교육의 기능 상실을 말해주기도 한다. 공시족 개인은 가장 합리적인 선택을 한 것이지만 국가적으로는 극히 '비합리적인' 결과가 초래된 것이다.

거의 모든 나라에서 청년실업 문제가 심각하지만 한국처럼 이렇게 많은 청년들이 공직으로 몰리지는 않는다. 한국의 공시족 폭발은 대졸 노동시장의 문제와 직결된다. 즉 1990년대 이후 한국은 제조업의 고용흡수력이 축소되면서 서비스 경제로 진입했고 이에 따라 기업은 대졸 사무직을 고용해서 훈련시킬 여유를 상실했다. 과거 교육부는 90년대 이후 이러한 경제 환경이나 노동시장의 변화를 무시한 채 대학 정원 특히 인문계 정원을 무책임하게 늘렸다. 특히 한국의 학부모나 학생들도 대학 진학 때 전공에 대한 관심보다는 오직 학벌·간판 취득에만 관심을 갖는다. 학벌이 노동시장에서 가장 중요한 기준이 되는 한국 사회에서 대학 전공은 취업 혹은 이후 노동의 성과와 별로 관련이 없다. 대기업이 골목시장까지 다 장악했기 때문에 창업도 거의 실패로 끝난다. 결국 청년들의 입장에서 보면 공무원시험이 그나마 자신의 능력을 제대로 평가받고 미래를 보장받을 수 있는 길인 셈이다.

결국 공시족 40만은 한국의 산업, 노동, 복지, 교육 등 거의 모든 문제가 집약된 모순 덩어리다. 정부의 대기업 밀어주기 정책과 장기 산업정책의 실종, 취약한 사회적 안전망, 사회적 공정성 결여, 교육부의 고학력 인력수급 정책 부재가 서로 맞물려 있다. 사회의 모든 부와 자원이 재벌대기업에 집중된 극도의 불평등하고 불안정한 나라가 만들어낸 결과다.

불안은 청년들의 정신을 갉아먹고 온 사회를 갉아먹고 국가의 미래를 갉아먹는다. 취업률을 대학 평가기준으로 삼는 교육부의 대학 길들이기 정책은 사태 해결에 전혀 도움이 되지 않는다. 좋은 일터가 사라졌고, 노동문화나 직업의식도 사라졌다. 국가, 기업, 대학이 머리를 맞대고 이 문제 해결에 나서야 한다.

2016-09-06

기업범죄와
덤핑
자본주의

옥시 가습기 살균제 사태를 보면서 세월호, 메르스 사태의 악몽이 다시 떠올랐다. 한국 정부와 여당은 200명 이상의 국민이 목숨을 잃고,* 최소 30여만명의 피해자가 발생했는데도 그 책임을 전혀 인정하지 않을뿐더러 국민의 생명을 지키는 일에도 매우 소극적이다. 2013년 야당이 피해자 구제법안을 제출했을 때 기획재정부와 여당은 "인과관계가 명확하지 않다"고 법안 처리를 반대했다. 세월호 참사 대처의 판박이다. '교통사고'와 같은 것이니 기업과 피해자 간의 소송으로 해결하

* 2019년 5월 24일 가습기살균제참사 전국네트워크는 사망자를 1,407명으로 발표했다.

라는 논리다. 외국에 본사를 둔 다국적 기업이 유해 제품을 만들었고 한국 지사가 판매를 했기 때문에 원인제공자는 외국 기업이다. 그러나 가습기 살균제 피해는 유독 한국에서만 일어났다. 미국 환경청과 가습기 살균제 제조 기업들은 오래전부터 독성 경고문을 통해 이런 사고를 예방했다고 한다. 우리 정부의 대응을 문제삼지 않을 수 없다.

기업 총수가 회계장부를 조작하거나 세금을 떼어먹거나 가격 담합 등의 방법으로 공정거래 질서를 위반하는 것이 통상의 기업범죄다. 그러나 더 심각한 기업범죄는 이익을 위해 독성 물질을 사용하고도 모든 안전성 검사나 정부의 규제를 비켜가는 일이다. 소비자와 노동자의 건강과 귀중한 '생명'을 위협하면서 이익을 챙기려는 다국적 기업의 행태는 지구화 신자유주의 시대의 가장 큰 '인위적 위험'이다. 그런데 경제성장과 기업 경쟁력의 명분 아래 국가가 소비자 보호나 노동 보호를 후순위로 돌리는 후발국가에서 '기업'의 자유는 극대화되고 소비자나 노동자의 건강과 생명은 하찮은 것으로 취급된다. 이것은 일종의 소셜덤핑이다.

가습기 살균제 사건처럼 피해가 고립 분산적일뿐더러 인과관계 규명에 상당한 전문성이 요구되는 경우, 생산 기업이나 기업주에게 책임을 묻기가 쉽지는 않다. 특히 한국처럼 기업이 노골적인 범법을 해도 과징금도 미미하고 기업주가 거의 처벌을 받지 않거나 구속되어도 곧바로 사면 복권되는 나라에서 기업의 반사회적 행태를 법적으로 단죄하기는 매우 어렵다. 외국에서도 기업범죄를 '화이트칼라 범죄'라고 하면서 책임 주체를 슬쩍 흐리는 경향이 있지만, 회계장부를 조작했던 미국의 엔론Enron이나 기름유출 사고로 큰 피해를 준 다국적 기업 비피BP는 파산하거나 큰 타격을 입었다. 한국처럼 매년 수십명의 산재 사망사고, 자살자를 낳는 '죽음의 기업' 오너들이 처벌은커녕 아무런 죄의식도 없이 활보하지는 못한다.

2011년 공정거래위원회는 역학조사를 통해 옥시 제품의 유독성을 발견하고도 5천만원의 과징금만 매기는 데 그쳤고, 검찰은 수사 의지를 보이지 않았다. 결국 이렇게까지 소비자들의 죽음의 행진이 계속된 이유도 김대중 정부 이후 한국이 기업 경쟁력을 최우선의 목표로 하는 '기업국가'로 변하면서 정치권·정부·사법부·언론·전문가들이 기업범죄의 방조자 혹은 변호인 역할을 했기 때문이다. 이들은 모두 경제를 위해 기업을 살리고, 기업(주)의 사기를 올려야 한다는 논리로 기업범죄라는 개념 자체를 지워버렸다.

옥시의 변호인인 김앤장의 범법 여부는 더 지켜봐야 하지만, 이 사태를 보면서 한국에서 전문가의 직업윤리는 교과서에만 있는 이야기라는 점을 새삼 실감한다. 적어도 수백명의 전문가들이 4대강 환경평가, 세월호 참사, 메르스 사태의 실상을 나름대로 알고 있을 것이지만, 소신을 갖고 발언한 내부자나 전문가들은 거의 없었다. 가습기 살균제 피해도 환경운동가 최예용 씨나 백도명 교수 등 몇사람의 뜻있는 학자들이 자기 호주머니 털어서 실태를 조사하고 그 위험을 경고하지 않았으면 계속 묻혔을 것이다.

기업 감시 등 경제민주주의, 사법정의, 그리고 직업윤리 없는 자본주의는 가장 천박하고 타락한 것이며, 사람 목숨 값싸게 쳐서 돈을 버는 덤핑 자본주의다. 한국의 시장경제, 기업문화, 교육, 법조인 양성 제도 등을 원점에서 재검토해야 한다. 민주주의 없는 자본주의는 전쟁보다 더 위험하다.

2016-05-17

세대 간 상생이라는 신기루

2015년 현재 전국의 모든 케이티엑스KTX 좌석, 거리에 펄럭이는 현수막, 우체국 대기화면 등 곳곳에 "노동개혁은 우리 딸과 아들의 일자리입니다"라는 소위 '노동개혁'의 구호가 넘쳐난다. 이것을 보면 성과도 없으면서 청년들에게 자리를 양보하지 않는 이기적인 기성세대가 된 느낌이 든다.

단박에 어이없는 구호라 생각했지만, 차분하게 생각해보기로 했다. 정부나 한국경영자총협회(경총)가 임금피크제 대상으로 삼고 있는 피고용자는 주로 공기업이나 재벌대기업에 근무하는 50대 이상의 정규직이다. 기업가 단체는 이들의 고용경직성이 너무 높다고 오래전부터 주장해왔으며 60세 정년 도입을 하면 기업의 부담이 더 커질 것이라고 하소연을 해왔다.

현재 한국에서 대기업 정규직 규모나 재벌기업 전체 피고용자도 경제활동인구의 8% 정도인 200만 안팎에 불과하니까, 이 중 임금피크제가 적용될 수 있는 50대 이상 정규직 피고용자는 100만명을 넘지 않을 것이다. 즉 '자식의 일자리를 뺏으면서' '철밥통'을 지키는 노동자 수는 아무리 많이 잡아도 100만명 정도이고 이들도 60세 정년까지 근무할 확률은 낮다.

그런데 임금피크제를 도입하거나 성과가 낮은 사람들을 쉽게 해고할 수 있으면 기업들은 그 몫으로 청년을 고용할까? 그리고 그 자리는 양질의 일자리일까? 지난 10년 동안 재벌기업의 고용 규모는 지속적으로 줄어들었고, 재벌기업일수록 비정규직의 비율이 높은 것으로 나와 있다. 즉 이 제도를 시행하더라도 대기업이 절감할 인건비는 그들이 현재 사내에 비축한 700조원이 넘는 유보금의 5%도 되지 않을 것이며, 그렇게 늘어난 일자리도 양질의 일자리일 가능성은 거의 없다. 현재 한국의 국민소득 중 노동자들에게 돌아가는 몫(노동소득분배율)은 OECD 32개국 중 24위로 하위권에 머물러 있고, 저소득 노동자 비율은 미국 다음인 2위에 올라 있다. 전체 소득 중 노동자가 가지고 가는 몫이 형편없이 적기 때문에 양질의 일자리가 늘어나지 않으면 이 정책은 소비 진작, 경제 활성화에도 아무런 도움을 주지 않을 것이다.

연공임금 체계의 관행이 강한 한국 실정에서 정규직을 해고하기는 쉽지 않다. 이런 상황에서 비정규직의 고용유연성은 지나칠 정도로 높고, 노동시장의 불안은 세계 어느 나라보다 높기 때문에, 실제 90%의 노동자는 고용불안, 저임금, 그리고 일터의 불공정에 신음한다. 한국 노동자 중 10년 이상 장기 근속자가 19.7%에 불과하다는 사실, 노동자의 권리 수준이 139개국 중 거의 최하위에 있다는 사실이 그것을 말해준다.

결국 기업가 단체의 숙원사업을 거의 그대로 받은 정부는 100만명 정도가 '누리는' 그 알량한 '특권'을 공공의 적으로 삼아 '세대 간 대립'이라는 기만적 구도를 그려냈다. 고용노동부나 노사정위의 합의안을 보면 사측이 장차 할 일은 모두 '노력'의 문제이며, 노측에게는 곧바로 목을 죄는 조치들이다. 사실 그동안의 정규직 '과보호'는 대기업 상층 노동자를 포섭하는 비용이었고, 한국 노동시장이 가진 불합리성의 결과였다. 이명박 정부 5년 동안 재벌기업의 순자산이 무려 77.6%나 증가한 이면에는 대다수 한국의 피고용자나 영세자영업자들의 고용불안, 생활고, 자살, 파산, 그리고 '노예계약'의 피울음이 있었다는 것을 기억해야 한다.

정규직 교수인 나는 유능한 박사 실업자들의 힘든 처지를 보면서 교수직 임금피크제가 필요하다고 생각을 해왔다. 사학재단이 고연령 교수의 봉급 삭감 몫을 정규직 교수 채용으로 돌린다는 보장을 하고, 연봉 조정이나 신규 교수 채용 과정이 합리적이고 투명하게 이루어지며, 협약을 위반한 사학을 처벌

할 수 있다면, 그것을 받아들일 용의가 있다.

지금 한국에서는 청년들뿐 아니라 아버지 세대, 노인 세대 등 모든 세대가 불행하고 불안하다. 청년실업, 물론 당장 해결하기는 어렵다. 그러나 재벌에 대한 부적절한 과세, 기술혁신 부족, 그리고 영세자영업자들에 대한 '갑질'을 먼저 거론해야 국민의 공감을 얻을 수 있다.

2015-09-29

사회적 사망과 사회건강

박근혜 대통령의 동생 박지만 씨가 회장으로 있는 이지테크 노조위원장이 4년간의 긴 부당해고·복직 등의 우여곡절을 겪다가 결국 "박지만 회장은 기업가가 갖추어야 할 최소한 기본조차 없는 사람"이라는 유서를 남기고 스스로 목숨을 끊었다. 그는 포스코 사내하청회사인 이지테크에서 2006년 노조를 설립했지만, 회사로부터 금속노조 탈퇴를 요구받다가 2011년에 해고당했다. 이후 부당해고 판결이 나긴 했지만 회사는 복직을 거부하며 다시 해고했고, 법원은 또다시 부당해고라고 판결해 2014년 5월 겨우 복직할 수 있었다. 그러나 회사는 그를 원래 일하던 곳이 아닌 공장 밖 사무실에서 1년간이나 일감도 주지 않은 채 고립시키다가 최근 또다시 정직 처리했다.

언제나 법은 멀고 해고조치는 너무 가깝다. 쌍용자동차 해고 노동자들의 자살을 비롯해서, KT·삼성전자서비스 등의 기업에서 해고, 전직, 노조탄압 때문에 노동자들이 자살·질병 등으로 생을 마감한 일은 셀 수 없이 많다. 노동계는 이들의 자살을 '사회적 살인'이라고 규정한다. 아직 제대로 개념화되어 있지는 않지만, 나는 노령·지병 등 자연적 이유가 아닌 사회·경제·정치적 이유로 인한 사망을 '사회적 사망'이라 부를 수 있다고 보고, 이지테크 노조위원장의 자살은 노동계가 주장하듯이 "학대에 의한 살해"의 측면이 있다고 생각한다.

사회적 사망에는 우선 산재사망자가 포함될 수 있고, 빈곤·실직·노조탄압·해고 등으로 자살한 사람도 해당될 것이다. 통계에 의하면 한국에서 산재로 인한 사망자는 10만명당 18명으로 세계 최고 수준이며, 2014년 한해만 2,165명이 사망했다. 약간씩 줄어들고 있기는 하지만, 아직도 OECD 평균의 거의 세 배 수준을 기록하고 있다. 그것은 전쟁 혹은 정치적 이유로 인한 사망을 훨씬 넘어선다. 즉 5·18 민주화운동 공식 희생자의 거의 10배, 이라크전쟁 미군 병사 사망자의 4배가 매년 한국의 일터에서 목숨을 잃는다. 한국의 자살률은 30여명(10만명당 자살자 수) 정도로서 거의 10년째 세계 최고 수준인데, 그중 상당수도 사회적 사망으로 추정된다. 보건사회연구원의 조사에 의하면 소득 수준과 자살 시도 간에 큰 함수관계가 있는 것으로 나타나고, 노인 빈곤층의 자살률이 매우 높은 것으로 봐서, 자살의 원인도 개인적인 것이라기보다는 사회경제적인 것으로 볼 수 있다.

사회적 사망이라는 관점에서 보면 한국은 세계 최악이며, 따라서 한국은 사회 건강성이 매우 낮은 나라라 해도 좋을 것이다. 영국의 사회역학자 리처드 윌킨슨R. Wilkinson은 불평등한 사회일수록 사망률이 높다고 주장하면서 사회적 불의가 결국 질병과 사망의 원인이라고 주장했다. 사회가 상당수의 국민을 사형시키는 것과 같다는 것이다.

87년 민주화 이전까지 군복무 중 사고, 자살로 죽은 사람이 매년 1천명 이상이었고 1953년에서 2005년까지 비전투상황에서 죽은 군인은 총 6만여명이었다. 결국 과거에는 군대에서, 오늘날에는 일터에서 멀쩡한 청장년이 수천명씩 죽어나가는 한국은 가히 사회적 사망 공화국이라 해도 과언이 아니다. 그러나 이러한 사망은 개인 단위로 고립된 상태에서 발생하기 때문에 사회적 관심이나 정책적 배려를 받지도 못한다. 이렇게 본다면 한꺼번에 300여명이 국민이 보는 앞에서 죽은 세월호 '참사'는 오히려 예외적인 것이었을지도 모른다.

국내총생산GDP, 수출, 1인당 국민소득 등의 흔한 경제지표로만 보면 한국은 확실히 선진국가가 된 것처럼 보인다. 그러나 사회적 사망이라는 관점에서 보면 한국은 여전히 후진국이고 심각하게 병든 나라다. 아무리 좋게 생각해도 산재, 빈곤,

노조탄압 등 사회적 불의로 매년 수천명 이상이 죽는 나라를 결코 선진국이라 말할 수는 없다. 국민들이 비자연적 이유로 죽음을 맞이할 확률이 낮은 나라, 즉 약자가 안전하게 살 수 있는 나라가 선진국이다. 그래서 나는 '사회건강', 즉 생명존중을 새 사회발전 지표로 삼는 대책을 마련해야 한다고 생각한다.

2015-05-12

절반의 노조, 절반의 민주주의

노동조합. 참 인기없고 낡은 이름이다. 전세계 모든 나라에서 노조조직률이 하락하는 현상을 보면, 21세기에 노조는 사라질 조직일지 모른다는 생각도 든다. 그런데 가만 내버려두어도 점차 사회정치적 영향력을 상실하고 있는 이 조직을 건설하기 위해 여전히 한국의 노동자들은 목숨까지 걸어야 한다. 삼성전자서비스노조가 그러했으며 6만명의 조합원을 거느리며 15년 이상 활동해온 전교조 역시 해고자를 조합원에 포함했다는 이유로 하루아침에 법외노조가 되었다. 서구에서는 노조 만들다가 모반죄로 처벌을 당하거나 사용자의 칼과 총에 맞아 죽은 것이 두 세기 전의 일이었지만, 한국에서는 아직도 노조 자체가 좌익, 즉 없애도 좋은 단체로 취급당한다.

한국은 헌법상 노동기본권이 실제로는 보장되지 않는 나라라고 오래전부터 생각해왔다. 사용자가 단체교섭을 거부해도 처벌되는 일은 거의 없으며 노조활동을 하다 해고당한 노동자의 복직은 하늘의 별 따기다. 한국 최고 기업인 삼성에서는 정규직원이 노조를 만들 수 없다. 그리고 한국에서는 공무원 노조도 법 밖에 있다. 노동자들의 마지막 무기인 단체행동을 함부로 감행했다가는 업무방해죄로 처벌당하기 십상이며, 민사상의 손해배상 청구를 당해서 조합원 개개인의 삶이 완전히 파괴될 수 있다.

과연 한국에서 노조가 인정되고 있으며 노동기본권이 보장된다고 말할 수 있겠는가? 87년 민주화로 한국에서는 산별 노조는 제외되고 기업 단위 노조만 주로 인정되었기 때문에 사실상 단결권도 절반만 인정된 상태다. 전체 피고용자의 10%만이 조직되어 미국과 더불어 OECD 국가 중 거의 최하위의 노조조직률을 기록하는 한국에서 애초부터 기업별 노조는 언제 사라질지 모르는 절반의 노조였다고 볼 수 있다.

나는 한국의 기업별 노조는 '제도적 어용노조'라고 본다. 즉 노조는 회사의 경영에 일절 개입할 수 없고, 자신의 운명을 회사의 존립과 이익에 전적으로 의탁하고 있다. 더구나 이 기업 단위 노조는 자신의 이익을 위해 자기 회사와 종속관계에 있는 다른 회사의 비정규직 노동자들의 임금 착취를 묵인할 가능성이 있다. 전교조처럼 자신들의 직업적 활동에 가장 심대한 영향을 주는 교육정책 일반을 단체교섭 안건으로 올릴 수 없는 불구적인 조직은 학생과 학부모 등 다른 교육주체를 무시하고 오직 조합원의 처우나 이익만 내세울 수도 있고, 실제 그런 일도 많았다.

2014년 노조활동을 하다 해고된 9명을 조합원 명부에서 제외하라는 노동부의 행정 명령은 전교조한테 노조임을 포기하라는 말과 같았다. 독일노총의 조합원 20%는 고용관계에 있지 않은 실업자들이고, 스웨덴의 경우 실업자나 자영업자의 비중은 더욱 높다. 한국에서 복수노조가 허용된 이후 새로 설립된 노조의 70%는 어용노조, 즉 회사의 간부들이나 사용자 편에 선 사람들이 조직한 것이라고 한다. 이거야말로 노조의 자주성을 완전히 부인한 '노조 아님'의 전형이지만, 노동부나 법원은 이들 어느 한 노조한테도 노조 아님을 통보한 적이 없다.

노동부와 법원은 공공의 이름으로 이런 결정을 내렸지만, 평소 전교조를 목에 가시처럼 여겨오면서 전교조의 불법성을 외쳐온 부패 사학, 교육계 상층부 등 사익집단은 환호성을 질렀다. 노조는 조합원의 사적 이익에 기반을 두지만, 활동을 하는 순간 비인간적인 노동조건을 개선하고 기업 경영의 투명성과 공정성, 국가권력의 올바른 집행을 감시하는 공적 성격을 가질 수밖에 없다. 문제가 된 해고자들 대부분은 바로 학교

비리 척결에 앞장섰다가 부당하게 해고된 사람들이었다. 한국 사회는 사익이 공익을 가장하고, 정치가 법을 가장하고 있다. 노조활동의 자주성이라는 말이 무엇을 의미하는지 국어사전을 새로 써야 할 판이다.

결국 87년 민주화가 이루어낸 절반의 노조, 절반의 민주주의가 위태위태하게 지탱되다가 박근혜 정부에서 결정타를 맞은 것이다.

2014-07-08

경찰은 왜 그랬을까?

온 국민들이 세월호 참사에 슬퍼하고 해경의 구조 실패에 분노하던 2014년 5월 18일, 자살한 삼성전자서비스노조 간부의 시신을 경찰이 탈취해서 화장을 해버린 사건이 발생했다. 1975년 박정희 정권이 인혁당 처형자들의 시신을 빼돌려 화장을 한 일, 1991년 의문의 죽음을 당한 한진중공업 노조위원장 박창수의 시신을 탈취, 화장한 일은 지난 시절 공권력이 자신의 잘못을 감추기 위해 증거인멸의 한 방편으로 자행한 경우였다.

그런데 이번에는 달랐다. 이번 사건의 사망자는 국가가 아니라 기업의 탄압에 항의해서 스스로 목숨을 끊은 사람이고 유서에도 시신 수습 및 장례를 노조에 맡겼다. 그런데 경찰은 아무런 설명도 없이 수백명의 병력을 동원해 그의 시신을 탈취했고, 멋대로 화장을 하고 장사를 치렀다. 경찰은 왜 그랬을까?

과거 민주정부라고 하는 김대중·노무현 때조차 대한민국은 대기업이 공권력을 사실상 지배하는 기업국가였으며 그 때문에 민주화의 이상은 빛이 바랬다는 논문*을 발표한 적이 있다. 그런데 이명박·박근혜 정부를 거치는 동안 우리 국가는 어떻게 되었을까? 나는 기업국가의 정도를 넘어 거의 마피아 국가의 양상까지 보인다고 우려한다. 이미 한국 경제학자인 오인규와 터키 정치학자인 와르친[Varcin]은 공저 논문에서 재벌의 불안을 국가가 보호해주면서 그 대가를 챙기는 마피아 국가로 터키와 한국을 지목하기도 했다.

흔히 마피아 국가라고 하면 이탈리아·러시아·헝가리처럼 거대 범죄조직이 지하경제를 움직이면서 경찰·검찰·법원·대통령을 자신의 이익 보호를 위한 방패막이로 이용하는 나라를 말한다. 사회주의 붕괴 이후 러시아에서는 신흥 졸부들의 신변 보호를 위해 사설 용병이 창궐했고, 권력은 이들 신흥 재벌이나 마피아와 합작하여 자신의 정적을 제거하거나 감옥에 가두고 정치자금을 챙겼다. 물론 한국은 그 정도는 아니다. 그러나 집권당은 재벌을 위한 입법에 앞장서고, 검찰과 법원

* 졸고 「한국형 신자유주의와 기업국가로의 변화」, 『황해문화』 66호, 2010. 참고.

은 이들의 범죄를 눈감아주며, 세무당국은 탈세를 묵인해온 점은 마피아적 요소가 아니고 무엇일까? 시장이 작동하지 않는 나라에서 소기업은 처음에는 동네 경찰서, 공무원한테 뒷돈을 챙겨주다가 규모가 커지면 경찰, 검찰, 국세청 수뇌부, 언론사 그리고 최종적으로는 대통령과 거래를 해야 한다. 기업국가가 마피아적 요소를 갖게 되면 국가기관이 대기업의 사설 보호자 기능을 하면서 기업범죄를 눈감아주기 때문에 민주주의와 법, 국민주권의 원칙은 웃음거리가 된다.

대기업의 운명을 좌우하는 일에 가담한 법률가들이 상식 이상의 엄청난 액수의 보상을 받을 때, 또한 권력이 저항세력이나 약자에 대해 극히 잔혹한 태도를 보일 때, 우리는 국가와 범죄라는 모순이 공존하는 역설을 감지한다. 삼성의 총수 이재용이 48억에서 출발해서 1조원 정도의 자산으로 불린 다음, 삼성 재벌의 총수로 등극하려는 오늘의 이 과정은 정상적인 자본주의 국가에서는 도저히 상상할 수 없는 일이다. 전직 대법관들이나 검찰 총수들이 퇴임 후 몇개월 동안 받은 수십억 원의 수임료, 이명박·박근혜 정부에서 장관으로 추천·임명된 전직 관료나 법관들의 엄청난 보수는 누가 왜 준 것일까? 삼성 백혈병 사망 노동자와 자살 노동자 가족들의 피울음이 과연 이런 일들과 무관한 것일까?

우리는 왜 경찰이 개인 노동자의 시신을 탈취하기 위해 전쟁하듯이 공권력을 동원하여 사실상 삼성의 사병 역할을 했는지 정확히 알지 못한다. 그러나 경찰이 그 이유를 밝히지 않는다고 해서 우리가 그 사건의 성격을 전혀 모르는 것은 아니다.

"이것은 나라가 아니다"라고 절규한 세월호 유족들과 여러 대학교수들의 성명은 세월호 참사에만 적용되는 것이 아니다. 세월호 구조에서 그 정권의 해양경찰과 해양수산부가 사설 인양업체한테 '구조'를 떠넘기고 스스로 직무를 포기한 일은 삼성 노동자의 시신을 작전하듯이 탈취한 경찰의 행동과 사실상 다른 일이 아닐 것이다.

2014-06-10

진상
손님

나는 지금 독일에 머물면서 이 글을 쓴다. 20년 전 독일에 처음 왔을 때 6시가 지나니까 대도시인데도 모든 가게가 셔터를 내려 술이나 음료를 사고 싶어도 살 수 없어 불편했던 기억이 있다. 당시 나는 "독일은 소비자에게는 참 불편한 나라구나"라고 생각했지만, 명색이 노동 연구자였던 내가 순간적으로나마 그렇게 생각했던 것이 참 부끄럽다. 소비자인 고객에게 편의와 만족을 주기 위해서는 반드시 점원들의 장시간 육체·감정노동이 있어야 하기 때문이다.

그때 이후 한국 사회는 더 발전된 서비스 사회가 되어 정말 소비자의 '천국'이 되었다. 어디에나 24시간 편의점이 있고, 어디가나 '고객님' 대접을 받을 수 있다. 반면 점원이 '고객'

에게 찍히거나 말다툼을 벌여 문제가 생기면 해고될 수도 있다. 한국의 점원들을 힘들게 하는 것은 고용주만이 아니며, 영세자영업자들을 화병나게 만드는 것은 '갑'인 가맹본부나 납품업체의 횡포에 그치지 않는다. 생떼, 무시, 천대, 반말, 폭언, 성희롱 등 비인격적이고 비상식적인 행동을 일삼는 '진상'들이 여기저기에 있다. 일부 사람들은 거의 악마적인 방법으로 골탕을 먹이거나 굴욕적 행위를 강요하기도 하기 때문에 어떤 자영업자는 득도得道하지 않고서는 그 일 못한다는 푸념을 하기도 하고, 인터넷에는 '알바생을 뿔나게 만든 최악의 진상 손님 베스트 10'이 돌아다닐 정도다. 몇해 전 개그 콘서트의 '정 여사' 편이 크게 인기를 끈 적 있는데, 우리 사회에서 이른바 '진상 손님'의 횡포가 어느 정도 심각한지 보여준 하나의 사례였다.

그런데 문제는 당시 '정 여사' 편의 "있는 사람들이 더하네"라는 멘트와 달리 귀부인들만이 '진상질'을 하는 것이 아니라 바로 점원들과 같은 처지의 노동자들, 여성들, 빈곤층이 더 심각한 진상 노릇을 한다는 사실이다. 즉 가정에서 남편이나 시부모로부터, 혹은 일터에서 고용주나 상관, 거래처의 '갑'들로부터 말할 수 없는 모욕을 당하는 사람들이 '손님'으로서는 '왕'처럼 권력을 행사하려 하는 것이다.

도대체 이 역설을 어떻게 이해해야 할까. 우리는 모두 90년대 이후 '풍요한' 자본주의 사회의 구성원이 되었다. 백화점과

거리의 화려한 쇼핑몰, 방송을 통해 쉼 없이 전달되는 상품 광고는 우리 모두를 마치 소비사회의 향연에 초대받은 당당한 주인처럼 행동하게 한다. 쇼핑은 자신의 존재의 증명과정이 되었고, 백화점에서는 모든 사람이 평등한 '고객' 대접을 받는다. 특히 힘든 현대인들에게 소비는 바우만Z. Bauman이 말한 것처럼 거대한 잔칫상 앞에서 맛난 것을 즐기거나, 장차 즐길 것을 상상하며 일상의 고통을 잊게 해주는 약국과도 같다. 일상이 고통스러울수록 고객으로서 왕이 되고 싶어하는 심리는 더 커진다.

그래서 권력을 가진 사람이나 지위가 높은 사람에게는 감히 대들지 못해도, 상점에 가서는 성질 사나운 진상이 되는 것이다. 세상이 불공평할수록, 일상 속 욕망의 좌절과 소외가 클수록 자영업자나 점원들에게 더 고약한 '갑질'을 하려는 심보가 나오는 것이 아닐까.

특히 초·중·고, 대학을 통틀어서 단 한 번도 노동자 권리에 대한 교육을 받아본 적이 없고, 자신이 사실 노동자이면서도 언제나 그러한 존재 자체를 부인하거나 자각하지 못하면서 살아가는 대다수의 한국인들에게는 자신이 고객으로서 '왕' 행세를 하면 서비스 노동자는 '지옥'을 맛보아야 한다는 생각을 해볼 기회 자체가 없다. 대형 유통회사가 서비스 시장을 마구잡이로 포식하고, 오직 경쟁력과 성과, 편리함과 신속함만을 강조하는 한국식 자본주의 사회에서 영세자영업자는 벼랑

끝에서 전쟁하듯이 하루하루를 지낼 수밖에 없다. 그런 상태에서 고약한 고객의 '진상질'을 참고 받아들이려면 자신과 피고용자의 영혼을 파괴시켜야 한다. 결국 없는 사람들끼리 서로 할퀴다 상처를 입고서 "억울하니 출세하자"고 발버둥친다. 이 '진상 손님'은 바로 한국 사회의 불공정한 서비스 시장, 사회적 차별과 노동 소외, 병든 시민사회, 취약한 노동자 의식을 달리 보여주는 현상이다.

이번에 와서 봐도 독일 동네에서 프랜차이즈 24시간 편의점 같은 것은 거의 볼 수 없고, 저녁과 휴일에는 물건 사기도 식사하기도 매우 힘들다. 그렇지만 소비자가 '진상질'을 하지 못하는 것은 물론 불편함을 감수해야 하는 이곳에서 동네 자영업자나 서비스 노동자, 알바생들은 덜 상처받으면서 '저녁이 있는 삶'을 즐길 수 있을 것이다.

2014-02-25

위장도급, 새 노예제의 풍경

2013년 가을, 삼성전자서비스 협력업체 노동자가 자살을 했다. 그는 "배고파 못 살았고 다들 너무 힘들었어요"라고 마지막 말을 남겼다. 이 시대의 자살 노동자들의 빈소에는 1971년 전태일의 빈소에 달려왔던 대학생들도 재야인사도 없다. 우리는 전화만 걸면 곧바로 달려와 친절하게 가전제품을 수리해 주는 노동자가 사실 삼성 직원이 아니며, 하루 12시간 일하고도 어떤 때는 집에 150만원도 못 가져가는 처참한 처지였다는 사실을 알게 되었다.

"아버지를 아버지라 부르지 못하고…." 홍길동은 피를 토하듯이 아버지 홍판서 앞에서 천민인 자신의 신세를 한탄하며 집을 떠났다. 조선 신분사회에서 어머니가 천한 신분이면 양반의 자식이라도 천민 신세를 벗어날 수 없었다. 그것은 지위와 재산이 적자에게만 가도록 한 신분사회 지배집단의 논리였다.

그런데 21세기에도 이런 일들이 버젓이 일어나고 있다. 대기업이 자신의 필수 업무에 종업원을 직접 고용하지 않고 간판도 사무실도 제대로 없는 종이회사를 만든 다음 그 회사가 모든 일을 책임지도록 하는 것이다. '하늘도 알고 땅도 알고,' 이 하청업체의 모든 노무관리는 사실 원청의 지휘 감독하에 이루어진다는 것을 모두가 알지만, 문서상으로는 별개의 회사로 위장된 상황에서, 노동부나 법원도 노동자들이 대기업에 직접 고용되어 있다는 증거가 불충분하다고 대기업의 손을 들어준다.

기업가 단체는 직접고용을 해서는 기업 경쟁력이 없다고 우기지만, 10조원의 순익을 내는 삼성전자 같은 경우도 과연 그런지는 설명하지 않는다. 보수언론은 도급을 없애는 법을 만들면 6조원의 임금폭탄이 날아온다고 으름장을 놓는다. 천민이 양반 행세를 하면 질서가 흔들린다던 조선 양반사회의 논리나 노동시장을 유연화해야 기업이 산다는 논리 모두 강자의 이익을 그럴듯하게 포장하고 있다는 점에서는 동일하다. 그러나 비록 천출일지언정 자기 아들임을 부인하지 않았던 조선시대 양반보다, 사용자이면서도 사용자가 아니라고 하는 이 시대 대기업의 위장도급은 훨씬 더 교활하고 기만적이다. 겉으로는 우리 사회가 민주주의이고 노동자는 노동 3권을 누릴 수 있다고 하지만 실제로 정상적인 노사관계는 존재하지 않고 그래서 노동자들이 노조를 만들면 해고될 각오를 해야 한다. 그러니 새 신분사회의 노예들은 거대한 거짓의 질서에 저항도 도망도 할 수 없어 개인적 죽음의 길을 택한다.

이윤을 생명으로 하는 기업이 노동자들의 모든 요구를 들어줄 수는 없을 것이다. 노동자들이 노조를 만들거나 권리를 주장할 때, 사용자들이 협박·위협을 가하거나 교섭을 거부하고, 정부와 법원이 노골적으로 사용자 편을 드는 일은 한국에서만 일어나는 일은 아니다. 특히 오늘날 같은 지구화의 조건하에서 기업들이 죽기 살기 경쟁에 노출되어 있고, 까다롭게 변화하는 소비자의 기호도 맞춰야 하니 좀더 유연하게 노동력을 이용해야 하는 정황도 이해할 수 있다. 그러나 사람을 고용하고도 "난 너를 고용하지 않았다"고 '눈 가리고 아웅' 하는 이런 자본주의, 이런 국가는 전대미문의 것이다. '죽을 만큼 일해도 죽을 수밖에 없는' 이런 자본주의에서는 법도 행정도 상식도 양심도 완전히 사치가 된다.

정직하고 투명하고 정정당당하게 사업을 하지 않는 기업이 서비스 분야 세계 1위가 된들, 그것이 무슨 의미가 있단 말인가? 우리 사회는 복지국가는커녕 아직 근대사회의 문턱조차 넘지 못했다. '소비자는 왕'이라는 구호 좋아하지 말라. 진짜 왕은 따로 있고, 왕이 있는 세상에서 당신 자녀가 노예일 수 있다.

2013-11-04

노동 중심,
인간 중심의
아시아

2013년 6월 3일, 중국 지린성 공장에서 폭발로 인한 화재사고가 일어났다. 이 사고로 120여명이 사망했고 77명이 중상을 입었다. 사상자 대부분이 농민공이었고 이들 중 90%는 인근 농촌에 거주하는 여성 노동자였다. 화재가 발생한 작업장엔 하나의 출입구만 있었는데, 이 출구 역시 출근시간 이후에는 잠금 상태이기 때문에 대형 참사로 이어졌다. 이것은 중국 전역에서 매일 발생하고 있는 노동집약 사업장 산업재해의 극히 일부에 불과하다. 이 사고의 근본 원인은 사람에 대한 경시, 특히 사회적 약자인 농민공의 생명을 경시한 데 있다. 출근하면 아예 나갈 생각하지 말고 소처럼 일만 하라는 이야기다. 기업주는 노동자의 밀집도가 대단히 높은 작업장에 소방 통로나 긴급조명등 같은 소방설비를 준비하지 않았고, 현지 소방부서는 안전검사를 할 때 설비 부족을 보고도 모른 척했을 것이다.

이런 사고를 접하면 한국 사람들은 1960~70년대의 수많은 탄광 참사를 떠올릴지 모른다. 그러나 중국의 원시적인 노동 참사는 우리의 '과거'가 아니라 바로 '현재'다. 2008년 이천 냉동창고에서 40명의 일용직 노동자가 숨진 사고도 이와 거의 다르지 않고, 당진 현대제철에서 반복되는 노동자 사망 사고도 노동자 생명 경시의 결과다. 이천의 경우 유독가스가 발생한 사고현장에 출구는 하나밖에 없었고, 준공검사도 엉터리였으며, 안전감독도 제대로 실시되지 않았고, 작업 목표를 맞추기 위한 무리한 작업 강행이 이어졌다고 한다. 중국 지린성의 사고도 천대받는 농민공이 주된 희생자였듯이, 한국의 중대재해 역시 직접 고용 상태에 있지 않은 일용직·이주노동자들이 주요 희생자다.

한국 언론은 '안전 불감증'이라는 모호한 용어로 책임을 흐리고 있지만, 돈벌이를 인간의 생명보다 중시하는 천민자본주의의 노동 천시 문화, 당국의 묵인, 기업주 솜방망이 처벌 관행이 한국에서 계속되는 안전사고의 원인이 아닌가 생각한다. 최근 1년간 삼성전자·LG화학·현대제철·GS건설·대림산업·한라건설에서 모두 36명의 노동자가 사망했지만 산업안전보건법에 의해 처벌받은 기업주는 단 한 명도 없었다고 한다.

60년대 한국의 가톨릭노동청년회를 이끌었던 카르댕 신부는 "생명 없는 물질은 공장에서 값있는 상품이 되어 나오지만 이 세상에서 가장 고귀한 인간은 그곳에서 한갓 쓰레기로 변하고 만다. 노동자들이 그런 현실을 극복하고 하느님의 모습을 닮은 존귀한 인간으로 다시 태어나야 한다"고 설파했다. 요즘 식으로 말하면, 이 도시의 아름다운 건물, 그곳에 진열된 멋진 상품, 종업원들의 감동적인 서비스 뒤에는 수많은 노동자의 고통, 우울증과 자살이 있으니 이들이 존중받아야 결국 우리 모두가 존귀한 인간이 될 수 있다는 이야기다.

1년에 10만여명의 노동자가 중대 재해로 사망하는 중국이 21세기 새 문명의 선도자가 될 수 없듯이, 1년에 2,000여명의 노동자가 일하다가 죽어가는 한국에서 '창조경제'와 경제민주화는 언감생심이 아닐 수 없다. 사회의 가장 밑바닥 사람들의 인권 수준이 그 나라 품격의 수준이다. 소수의 특권과 다수의 노예화가 공존하는 세상은 새로운 신분사회다.

지난 100여년 동아시아를 지배해온 식민지 근대화, 부국강병의 기치는 노동자의 생명을 불쏘시개 취급한 역사였다. 생명의 가치, 노동의 가치를 존중하지 않는다면 '아시아의 세기'라는 구호가 무슨 의미가 있을까?

2013-06-10

죽음을 부르는 손해배상 청구

2012년 12월 21일 한진중공업 노조 회의실에서 최강서 씨가 회사 쪽이 노조를 상대로 낸 158억원의 손해배상 청구소송에 대해 "태어나 듣지도 보지도 못한 돈 158억원을 철회하라"는 유서를 남기고 35년의 짧은 생을 마감했다. 이 돈은 연 1억원에 불과한 한진중공업 노동조합의 조합비를 158년 동안 모아야 할 돈이라고 한다. 2003년 두산중공업의 배달호, 한진중공업의 김주익 등 수많은 노동자들이 바로 이 손해배상 소송의 압력을 이기지 못하고 자살했다. 회사 쪽은 노조의 파업으로 막대한 손해를 입었으니 이 방법으로 배상을 받을 수밖에 없노라고 항변한다. 그러나 노조 쪽 변호인은 회사가 과연 이 정도의 손해를 입었는지도 알 수 없고, 설사 손해가 있었다고 해도 그것이 노조 탓인지는 입증할 수 없다고 반박한다.

문화방송MBC은 2012년에 노조 파업으로 손해를 입었다고 324억원을 노조에 청구했고, 쌍용자동차도 노조에 232억원을 청구했다. 회사 쪽이 노조 간부들에게 청구한 금액은 이들의 월급을 30년 이상 모두 갖다 부어도 다 갚을 수 없는 천문학적인 액수다. 한진중 회사 쪽은 "법적 판단에 맡기자" 하고, 노동자 시민 1만 7,000명은 "법적 판단 잘 내려주십사" 하고 재판부에 탄원서를 제출했다. 그런데 이게 과연 법원의 선처에 호소할 일일까?

1870년대 영국에서 형법에 의해 노조활동을 통제하기가 어려워지자 사용자들은 '손해를 입히기 위한 공모' 죄로 노조원들을 고소하여 급기야 조합원들이 자기 집을 파는 일까지 생겼다. 1900년 태프베일Taffvale 철도회사의 파업에 대해 영국 최고법원은 노조가 비록 법인이 아닐지라도 불법파업에 대한 손해배상의 책임이 있다는 결정을 내렸고, 이러한 민사상의 손해배상 청구가 노조를 무력화시킨다는 사실을 자각한 노동자 100만명이 노동당에 가입하였다. 이후 의회는 1906년에 사용자의 불법행위 소송을 막는 법을 통과시켰고, 현재는 노조의 민사상 책임을 인정하나 책임상한액을 제한하고 있다고 한다. 한편 1920년대 후반 사유재산제를 비판만 해도 치안유지법을 적용하던 천황제하의 일본에서도 사용자의 손해배상 소송을 인정하면 노조의 존재가 부정된다는 이유로 양심적 관료가 사용자 쪽의 손배소송 조항 삽입 요구를 거부한 일이 있었다.

노동자에게 1억원은 100억원 이상의 무게가 있다. 그런데 한국의 법원은 부당행위를 한 사용자에게는 그들 하루 저녁 술값도 안 되는 100만원의 벌금을 부과하면서, 노조에는 불법 파업을 했다는 이유로 100억원의 손해배상 판결을 내린다. 이건 노동자에게 죽으라는 소리나 다를 바 없고 노조 쟁의권을 사실상 부인하는 일이다. 게다가 실제 한국의 노조들이 합법 파업을 하는 것은 외줄 위에서 떨어지지 않고 걸어가는 것보다 더 어렵다. 한국의 노동조합법은 원칙적으로 손해배상 청구를 제한하고 있으나 정리해고·구조조정 등을 둘러싼 파업은 손해배상을 청구할 수 있는 불법파업으로 해석된다.

나는 월급이 수백만원도 안 되는 노동자들에게 수백억원의 손해배상 소송을 하는 사측의 태도도 문제라고 보지만, 그 엄청난 벌과금을 노동자들에게 그대로 부과하는 한국 법관들의 정신구조가 더 의심스럽다. 이미 1990년부터 한국의 노동부가 노조의 쟁의를 손해배상 청구로 통제하라고 사용자에게 권유한 것에서 알 수 있듯이, 오늘 한국의 노동관료나 판사들은 1900년대 영국이나 1920년대 일본의 관료나 판사들보다 더 보수적이고 친자본적이다. 나는 그들에게 한국이 노동 3권이 보장된 나라라고 생각하는지 물어보고 싶다.

2013-02-14

6부

미래를 기억하라

3·1 운동 100년, 시대의 화두는 정치

2017년 말 아이슬란드에서는 마흔한살의 반전 페미니스트 여성 야콥스도티르K. Jakobsdóttir가 총리가 되었다. 2018년 미국의 중간선거에서는 바텐더 경력이 있는 스물아홉살의 라틴계 여성 오카시오-코르테즈A. Ocasio-Cortez가 연방 하원의원으로 입성했다. 2018년 서울에서 열린 촛불 1주년 국제회의에 참석했던 스페인 제3당 포데모스Podemos의 전략분석 사무국장은 서른두살 여성이었다.

아이슬란드는 '동일노동 동일임금'을 법으로 제정했고 남녀 임금격차를 완전히 없애겠다고 한다. 미국의 오카시오-코르테즈는 '녹색 뉴딜'을 위해 부자들에게 최고세율 70%의 부유세를 거두어야 한다고 주장한다. 스페인의 거대정당 독점체제를 뒤흔든 포데모스는 시민들이 온라인을 통해 직접 입법을 하자고 제안했다.

한편 유럽 각국을 휩쓰는 극우 포퓰리즘 정치세력의 등장, 한 달 이상 지속된 프랑스 노란 조끼 시위, 미국 트럼프의 극우 인종주의, 브라질의 극우 대통령 보우소나루J. M. Bolsonaro 당선 등의 현상은 더이상 회복하기 어려울 정도로 벌어진 경제격차로 인한 대중의 좌절과 분노가 갈 길을 잃은 채 폭발 직전의 상황에 이르렀음을 보여준다.

세계 여러 나라에서 발생한 이러한 현상은 지난 20세기 후반기 세계를 이끈 자유민주주의, 대의제 민주주의, 사회민주주의가 위기에 처했고, 정당정치의 대표성과 책임성이 근본적인 도전을 받게 되었다는 사실을 드러내준다.

유대인 학살 연구자인 크리스토퍼 브라우닝Ch. Browning은 지금의 미국은 대공황 직후 파시즘 등장 직전의 상황과 매우 유사하다고 지적하면서, 그것을 '민주주의의 질식'이라고 요약한다. 카터 전 미국 대통령은 오늘의 미국은 금권 과두정치 상태에 있다고 탄식한다. 현실 사회주의 붕괴에 환호하면서 '자유민주주의의 최종 승리'를 외쳤던 프랜시스 후쿠야마F. Fukuyama도 자신의 과거 주장을 완전히 뒤집어, 획기적인 부의 재분배만이 오늘의 민주주의 후퇴를 해결할 수 있으며 그러지 않으면 사회주의가 다시 돌아올 수밖에 없다고까지 말한다.

한편 1년에 수백명의 인권운동가·기자·성직자 등이 살해당해도 제대로 통계에 잡히지도 않고, 경찰이나 검찰도 팔짱끼고 있는 필리핀·콜롬비아·멕시코 등은 사실상 시스템이 무너진 '실패한 국가'로 봐도 과언이 아닐 것이다. 30년 전 서구의 경제적 부와 시장경제에 환호했던 동유럽 국가들은 마피아 자본주의의 양상까지 드러낸다.

지난 박근혜 정부하의 한국에는 미국의 금권 과두제와 남미의 '실패한 국가' 모습이 어느 정도 있었는데, 2016~2017년 촛불시위는 그것에서 벗어나려는 우리 국민의 거대한 몸부림을 보여주었다. 이 정도의 민주주의라도 성취한 한국은 후발국 중에서는 참으로 드문 성공 사례라 할 만하다. 그러나 태안 비정규직 청년 김용균의 사망, 정보기술[IT] 용역업체 청년 노동자 사망, 자동문 설치 작업을 하다 문에 끼여 사망한 20대 청년, 노조 인정과 단체협약 승계를 요구하면서 2019년 1월 8일로 423일째 고공농성 중인 파인텍 두 노동자의 사례들은 한국이 아직 정치 부재, 정당의 사회적 대표성 부재 상태에 있음을 말해준다.

우리는 아직 개발독재 시절 재벌주도 성장주의하의 반민주·반인권의 터널과 신자유주의적 금권정치의 위세에서 벗어나지 못하고 있다. 87년 민주화 이후에도 한국에서 정치는 사회적 요구의 대변 기능과 책임성을 제대로 발휘하지 못했고, 사회민주주의는커녕 자유민주주의도 여전히 발육부진 상태에 있다. 유럽과 미국의 청년들은 새정치의 주역으로 등장하고 있으나 오늘 한국의 청년들은 고시원에 웅크리고 앉아 컵밥으로 끼니를 해결한다.

역사에서 압축은 있어도 비약은 없다. 비동시적인 것이 동시적인 것과 공존할 때는 순서대로 일을 풀 수 없다. 우리는 자유민주주의와 사회민주주의를 동시에 테이블에 올려놓아야 하고, 정치적 책임성이 보장되는 정당과 정치체제를 건설해야 하지만, 그것과 동시에 생활현장과 정치를 직접 연결하는 제도와 방법을 고안해야 한다.

올해는 우리 선각자들이 자주와 독립·민권·평화·관용을 부르짖으며 일제에 항거해 들고일어났던 3·1 운동 100년이 되는 특별한 해다. 또한 조소앙은 자신이 초를 잡은 또다른 독립선언서에서 우리가 '개돼지'의 신세를 벗어나기 위해서는 '평등복리' 사회를 건설하기 위해 싸워야 한다고 외쳤다. 100년 전 우리 '백성'은 '국민'으로 거듭났으나, 이제는 이름만의 '유권자'를 벗어나 입법·행정·사법에 개입하는 주체, 즉 실질적 주권자로 거듭나야 한다.

2019-01-09

토벌작전은 현재 진행형

고故 황성모 교수는 일제 말의 동화정책, 문화적 일체화 정책을 '정신적 토벌'이라고 불렀다. 일본은 '남한대토벌' 작전계획 아래 동학농민군 잔존세력과 의병의 근거지까지 완전히 없앤 다음 조선을 강점할 수 있었다. 그러나 일본에 대해 정신적·문화적 우월감을 갖던 조선인들의 내면까지 굴복시킬 수는 없었다. 그래서 일본의 언어·교육·문화를 전체주의 방식으로 주입하여 '천황'의 충성스러운 신하로 만들고자 했다. 정신적 노예화였다. 거부하는 자에게는 경찰의 가혹한 보복이 따랐다. '응징적 토벌'이었다.

일제는 조선인과 일본인의 조상이 같다고 거짓말을 했으며, 폭력적 지배를 문명화·근대화라 말했고, 조선 청년들을 불쏘

시개로 동원한 전쟁을 '대동아 성전'이라 가르쳤다. 그들의 정신적 토벌은 조선인들이 독립을 포기하고 일본이 가끔씩 던져주는 사탕을 받아먹으면서 노예로 만족하도록 만들기 위한 작업이었다. 그것은 일종의 심리전이었으니, 교사는 칼을 찬 폭군이었으며, '국민'학교는 다른 생각이 용납되지 않는 군대였다.

2015년 11월 14일 민중총궐기 대회에서 물대포를 '조준' 직사하고 쓰러진 뒤에도 계속 물대포를 퍼부어 한 농민을 죽음에 이르게 하였으며, 구급차에까지 물대포를 퍼부은 경찰의 진압과 국정 교과서 밀어붙이기 정책을 보면서 나는 21세기형 토벌이 진행되는 것을 느꼈다. 김관진 전 국방부 장관은 지난 대선에서 야당 후보를 종북으로 몬 댓글 활동을 '대내 오염 방지'를 위한 것이었다고 말했다. 박근혜 정부는 국민들의 '사상 오염'을 막기 위해 교과서 국정화에 사활을 걸었고 이를 위해 교육부의 비밀 티에프[TF]팀 운영, 절차를 무시한 공무원 인사 조처, 무더기 찬성의견을 만들어내 여론까지 조작한 의혹이 있다. 교과서 집필자 명단도 공개하지 않겠다는 방침, 그것은 한마디로 '군사작전'이라고밖에 말할 수 없다.

19~20세기의 일본 제국주의는 21세기 한반도에서 여전히 살아 움직인다. 일제도 생업에 종사하면서 '정치'에 관여하지 않은 '양민'은 봐주었다. 일본은 반외세 민족의식을 가진 농민과 유생들만 표적으로 삼았고, 그들의 항쟁을 지지하고 지

원하는 주변 주민들만 '초토화' 작전, 보복·응징의 대상으로 삼았다. 11월 14일, 경찰은 서울 시내 모든 곳에 차벽을 설치하지도 않았고, 길 가는 시민에게까지 물대포를 조준 직사하지는 않았다. 단, 집회에 나와서 경찰에 대드는 시민은 해산의 대상이 아니라 '응징'의 표적이 되었다. 한편 공중에서는 역선전, 회유, 협박, 투항을 위한 선무공작과 심리전이 진행중이다. 시위대는 폭도이며, 반대하면 비국민으로 간주될 수 있으니 폭도로 몰려 토벌 대상이 되기 전에 빨리 투항하여 국가의 품으로 '귀순'하라고 한다.

토벌작전 중에 중립은 없다. 군사작전 중에 법과 절차를 지키는 것은 사치다. 차벽을 설치한 것이 법과 절차를 위반한 것인지, 물대포를 직사한 것이 경찰 내부 규정을 위반한 것인지 따질 필요는 없다. 시위를 모의한 세력이 '엄한' 처벌의 대상이 되면 그만이다. 국정 교과서 찬성 집단의 행동은 '우리 편'이니 상관없고, 반대 서명한 교사들만 색출 처벌 대상이라 한다. 교육은 사상 주입이고, 언론은 홍보이며, 정책과 정치는 곧 통치의 일부라는 소리다. 작전 중 자체 실수가 드러나도 무조건 잘했다고 우기고, 필요할 때는 거짓말도 한다.

국민이 토벌 대상인 나라, 오직 하나의 '순수한 생각'을 가진 '양민'들이 순종하면서 사는 나라는 죽은 나라다. 노예는 동물적 만족에서 한걸음도 더 나아갈 수 없다. 인종적·사상적 순혈주의를 고집하고, 국민들에게 공포감을 주입하여 통치하는 전체주의는 20세기에 이미 역사의 심판을 받아 사라졌다. 자유로운 영혼들이 하고 싶은 말을 할 수 있는 나라, 사상의 백가쟁명이 가능한 나라, 정치권에서 진보와 보수가 치열한 정책논쟁을 할 수 있는 나라만이 미래를 기약할 수 있다.

2015-11-24

전쟁할 수 있는 일본, 전쟁중인 한국

일본 사회가 깨어나고 있다. 2015년 9월 12만명의 시민들이 '집단적 자위권법' 즉 전쟁가능법안을 밀어붙이려는 아베 신조 총리의 퇴진을 외치면서 거리로 쏟아져 나왔다. 청년들, 특히 자기 자식이 병사가 되어 희생될 것을 우려하는 어머니들이 근래 보기 드물게 많이 시위에 참여했다고 한다. 전쟁이 곧 자신과 자기 자식의 문제가 될 것을 우려한다는 이야기다.

지난 70년 동안 일본인들은 미국의 안보 우산 아래 전쟁을 모르고 살았다. 그런데 우익들이 미국과 한편이 되어 중국에 맞서 전쟁할 수 있는 일본을 만들자고 나서자 시민들이 강력 반발한 것이다. 한국은 과연 어떤가? 수백만의 목숨을 앗아간

6·25 전쟁도 어처구니없는 일이었지만 그 이후 60여년 동안 우리는 전쟁의 공포에서 벗어난 적이 없다. 우리는 2015년 8월 지뢰폭발 사고와 곧 이은 남북한 포격, 그리고 북한의 준전시상태 선포로 극도의 공포 속에 며칠을 보냈다. 다행히 협상이 잘 이루어져 전쟁은 막았다. 그러나 두 병사는 지뢰 사고로 평생 불구자가 되었다. 도대체 이 무슨 어이없는 일인가 하는 심정을 지울 수 없었다.

1953년 휴전 이후 2005년까지, 군에 입대했다가 (비전투 상황에서) 목숨을 잃은 군인이 무려 6만명이나 되고, 지금도 매년 100명 정도의 시퍼런 청춘이 자살과 사고로 군에서 목숨을 잃는다. 이런 '전투 없는' 전쟁의 비극이 반세기 이상 계속되는데도, 피해 부모들은 국가에 항의조차 제대로 못하고, 그냥 땅을 치고 통곡하다 낙담하여 병을 짊어지거나 결국 가정도 파괴되는 비극을 겪는다. '전쟁할 수 있는' 일본을 저렇게 반대하는 일본인들이 있는데, '전쟁중'인 한국인들은 왜 이리 무덤덤한가? 모든 게 북한 탓인가?

1951년, 6·25 전쟁중 피난지 부산에서 소복을 입은 스무살의 대학생 김낙중은 "눈물을 찾습니다"[探淚]라는 글귀가 적힌 등불을 들고서 평화시위를 하다가 정신이상자 취급을 당했다. 과연 남북한 정치지도자들이 미쳤을까, 김낙중이 미쳤을까? 40년 식민지 노예 상태에서 갓 벗어난 남북한이 서로 원수처럼 미워하며 죽기 살기의 전쟁을 하는 모습을 본 모든 외국인들은 오히려 김낙중에 공감하지 않았을까? 전범 국가 일본이 처벌을 당하기는커녕 경제발전의 길로 매진하던 바로 그 시점에, 한반도는 식민지 시대보다 더 비극적인 내전에 돌입하였고, 그후 지금까지 사실상 전쟁중에 있으니 이거야말로 미쳐도 단단히 미친 일이 아닌가?

'전쟁할 수 있는 일본'의 파병 대상은 또다시 한반도일 것이다. 그런데 과거 반성 없는 일본의 군국주의화를 남의 나라 주권 문제인 것처럼 보면서, 동족 중의 '적'을 없애기 위해서는 온갖 물적·제도적 탈법 수단을 총동원하고, 제 발등을 자기가 계속 찍으면서 치료비(국방비) 증액해야 한다고 소리 높이는 이런 국가가 과연 정상일까? 그리고 이런 전쟁공포를 일상으로 받아들이며 살고 있는 남북한 인민들이 과연 정상일까?

북한의 군사주의나 호전성을 무시하자는 것이 아니다. 그것은 다분히 남한 정권이 자초한 것이기도 하다. 한국인들의 상당수는 북한에 대해 단호한 모습을 보여준 이명박·박근혜 대통령에게 박수를 친다. 그런데 과연 연평도 포격, 천안함, 지뢰폭발로 희생당한 군인 가족도 그렇게 생각할까? 북한을 잘 달래고 사이 좋게 만들었다면, 수많은 청춘이 목숨도 잃지 않았을 것이고, 개성공단 확대, 금강산 관광, 추가 대북투자로 수십, 수백조원의 경제적 이득도 거둬들이고 청년들도 많은 일자리를 얻지 않았을까?

'전쟁할 수 있는 일본'은 일본인들보다 우리에게 더 심각한 악몽이다. 나는 동학농민군 진압해달라고 청과 일본을 불러들인 고종과 조선 지배층보다 지금 한국의 집권층이 더 민족적이지도 '애국적'이지도 않다고 보기에 더 악몽이라 생각한다.

일본인들이 다시 깨어나고 있다. 그런데 한반도는 여전히 분단·전쟁 중독 상태에 빠져 있고, 자신이 그런 중증 환자라는 사실조차도 모르고 있다.

2015-09-01

각자 도생

"점심은 평양에서, 저녁은 신의주에서"라고 큰소리치던 이승만의 심복 신성모 국방부 장관은 6·25 북한군의 기습을 맞아 총 한번 대포 한번 제대로 쏴보지 못하고 허둥지둥 내빼다가, 결국 모든 군인은 "각기 양식대로 행동하라"고 명령을 내렸다. 한 나라의 국방부 장관이라는 사람이 전쟁중 '각자도생'의 지시를 내린 어처구니없는 순간이었다.

인민군의 기습으로 정작 본인은 이미 대전으로 내려가놓고 국민들에게 서울을 사수하라고 거짓 방송을 내보낸 대통령 이승만은 한국은행 창고에 은행권을 그대로 두고 내려갔다. 국회 부의장 조봉암이 도망간 '대한민국'의 뒷수습을 하고 서울을 떴지만 시민들까지 데려갈 수는 없었다. 그런데 이승만 정부는 그 혼돈의 피난 상황에서도 전국의 특무대 요원과 헌병, 경찰을 총동원하여 위협세력이라고 간주했던 보도연맹원 수십만명을 구금·학살하는 일만은 치밀하고 철저하게 수행했다. 국가 경제, 국민 안전과 생명은 나 몰라라 했지만, 권력안보에는 그렇게 철저했던 정권이었다.

메르스 첫 환자가 확인된 지 14일이 지나서야 첫 관계장관회의를 개최하는 등 허둥대기만 한 박근혜 정권과 종편은 온 국민이 공포감으로 패닉 상태에 빠져 있었던 위급한 상황에도 박원순 시장 공격하는 일은 빼놓지 않았다. 또한 2015년 6월 4일 밤 청와대는 국회법 통과를 두고 새누리당 유승민 원내대표의 발언을 반박하는 내용의 전화를 기자들에게 돌렸다고 한다. 전염병 확산 막는 것보다 도전 세력 견제하는 일이 더 다급했던 모양이다.

박근혜 정권이 어디에 최대의 관심을 두고 있는지가 드러난 장면이었다. 연출한 사진을 언론에 보내거나, 국민을 위한다는 담화로 한두번은 국민을 설득할 수 있지만, 그런 제스처가 계속 먹힐 수는 없다. 애국가를 4절까지 외우고, 입만 열면 태극기 게양을 강조한다고 해서 애국자가 되는 것은 아니다. 종북 세력 제거한다면서 촛불시위 단순 가담 대학생들까지 치밀한 사진 채증을 거쳐 찾아내어 300만원이라는 거액의 벌금을 때렸던 공권력이 왜 메르스 방역에는 그렇게 우왕좌왕했는지 생각해보자. 그것은 무능이 아니라 무관심이다. 정확히 말하면 강한 관심과 완전한 무관심이 공존한다.

박근혜 대통령이 그 분야의 전문가·공직자로서 도덕성을 갖춘 자를 찾아내 각료로 임명하지 않고, 공인으로서는 너무나 많은 흠이 있지만 충성심만은 확실한 사람들을 고르는 것을 여러 번 보고 나서 우리는 다 알았다.

6·25 당시 그렇게 도망갔던 이승만은 대한민국의 뒷수습을 했던 조봉암을 결국 간첩으로 조작하여 처형했다. 조봉암은 사형 직전 "이승만은 소수 잘사는 사람들을 위한 정치를 했고, 나는 사람들이 골고루 잘사는 정치를 하려다가 결국 죽게 되었다"고 말했다. 그런 조봉암이 사형당하는 것을 본 모든 국민들은 "이 나라에서 사회와 약자를 위하다가는 '빨갱이'로 몰릴 수 있으니 오직 자신의 이익에만 충실해야 한다"고 속으로 다짐했을 것이다.

'더 나은 삶 지수' 조사에 의하면, "정작 어려울 때 의존할 수 있는 사람이 있다"고 응답한 한국 사람의 비율이 OECD 회원국 가운데 가장 낮았다고 한다. 위급할 때 달려와 보살펴주는 정치가나 관리가 없고, 힘들어하는 사람을 도와주려는 이웃 사람들을 찾기 힘든 세상의 스산한 풍경이다. 그래서 과거 전쟁중에 '각자도생'해야 했던 국민들은 전염병이 창궐한 오늘 '자가격리'할 수밖에 없다.

각자도생의 세상은 사람이 만들어낸 '사회적 지옥'이다. 그런데 우리는 혼자 지옥에서 벗어날 수 없다. 21세기 고도위험

사회에서 전염병·탄저균·방사능을 완벽하게 피할 수 있는 장소는 아무 데도 없다. 그래서 우리는 사회와 정치를 완전히 개조해서 모두가 편안하게 살아갈 수 있는 곳으로 만들어야 하고, 그러기 위해서는 우선 권한만 쥐고서 책임은 지지 않으려는 권력을 책임지게 만들어야 한다.

2015-06-09

강기훈 무죄, 김기춘은 물러나야

강기훈이 드디어 무죄 판결을 받았다. 이미 지난 2007년 진실화해위원회의 조사와 결정을 통해 1991년 분신한 김기설의 유서를 대필했다는 검찰의 기소와 법원의 판결이 잘못된 것이라는 결정이 내려졌다. 이후 법원은 재심에 들어갔고, 무려 5년이나 질질 끌다가 이런 결정을 내렸다.

그런데 "웃을 수도 울 수도 없다"는 그의 소회가 말해주는 것처럼, 우리는 "늦었지만 그래도 법원은 아직 살아 있다"고 자위할 수가 없다. 법원의 결정대로 강기훈이 유서 대필을 하지 않았다면, 그를 기소한 검찰은 사건을 조작한 셈이며, 당시 법원은 조작된 사건 피해자를 희생양으로 만들었다는 말이다. 돌아보면 1991년 당시 노태우 정권과 옛 군부세력은 민주화

운동의 기세와 이어지는 분신에 놀라, '배후가 없고서야 이런 일이 일어나지 않는다'고 예단한 다음 사건 조작이라는 있을 수 없는 범죄를 저질러 민주화 운동의 도덕성에 치명타를 입히고 권력을 안정화하는 이득을 얻었다.

비록 강기훈은 무죄가 되었으나 당시 누가, 어떤 세력이 '유서 대필'이라는 아이디어를 내서 사건을 조작했는지 아직 밝혀진 것이 없다. 강신욱 당시 서울지검 강력부장이 수사를 지휘했고, 주임검사는 신상규 전 광주고검장이었으며, 안종택·박경순·윤석만·임철·송명석·남기춘·곽상도 검사가 수사팀에 있었다고 한다. 당시 검찰총장은 정구영(변호사), 서울지검장은 전재기(변호사), 법무부 장관은 김기춘 현(2014년) 청와대 비서실장이다. 강기훈의 유죄를 확정한 판사들은 1심 노원욱 부장판사, 정일성·이영대 배석판사였고, 2심 임대화 부장판사와 윤석종·부구욱 배석판사였다. 상고심에서 박만호 대법관을 주심으로 하여 김상원·박우동·윤영철 대법관이 강기훈의 유죄를 확정했다. 열거된 검사·판사들은 모두 이 사건 이후 출세가도를 달렸고, 그중 정치에 기웃거린 사람 전원이 새누리당에 공천신청을 하거나, 박근혜의 당선에 기여했다. 김기춘은 박근혜 정부 권력의 정상인 비서실장으로 활약했다. 반면 희생양 강기훈의 삶은 처참하게 무너졌다. 형을 마치고 나온 뒤에도 이웃의 냉대와 발길질에 차여 사람대접 받지 못하고 살았으며, 급기야 간암이 악화되어 항암치료도 받을 수 없는 지경이 되었다.

강기훈은 사법부와 검찰의 사과를 기대하고 있지만, 아직은 그를 기소하고 유죄 판결을 내린 사람 중 누구도 사과할 의사는 없는 것 같다.* 사실 조작의 진상규명이 이루어지지 않은 상태에서 이 사건이 그들의 사과나 반성으로 끝날 일인지도 의문이다. 사건 조작은 심각한 국가범죄이고, 피해자에게는 엄청난 국가폭력이다. 그래서 조작을 지휘한 사람이 밝혀지면 그는 책임을 져야 한다. 물론 진상규명이 이루어지고 가해자가 사과와 반성을 한다고 해서 강기훈과 같은 과거 조작사건 피해자들의 망가진 인생이 복원되지 않고, 조작을 주도했던 세력들이 그것을 통해 얻은 권력과 지위가 박탈될 가능성은 거의 없다. 그래서 이 조작사건의 진상규명, 현직에 있는 관련자의 사퇴는 우리가 생각할 수 있는 최저선의 정의다.

이번 판결 이후 시민사회 진영에서 일명 '강기훈 법' 제정을 요구하는 것도 바로 이런 이유 때문이다. 곧 "국가범죄를 저지른 이들에 대한 공소시효 폐지를 통한 책임자의 형사처벌, 공직 추방, 서훈 박탈, 구상권 행사" 등이 필요하다는 말이다.

만약 김기춘 등 관련자들이 공직에서 사퇴하기는커녕 양심의 가책을 조금도 느끼지 않는다면 앞으로도 이러한 사건 조작이 계속 일어날 수 있다고 판단해도 좋을 것이다. 지금 국정

* 2019년 6월 15일 문무일 검찰총장은 법무부·검찰 과거사위원회 권고에 따라 이 사건에 대해 검찰이 국민 기본권 보호의 의무를 소홀히했음을 인정하고 사과했다.

원과 검찰이 '서울시 공무원 간첩사건'*의 증거를 조작한 의혹이 드러나지 않았나?

2014-02-17

* 2013년 국정원과 검찰이 서울시 탈북자 담당공무원 유우성이 탈북자 정보를 북한에 넘겼다며 기소한 사건. 2014년 4월 간첩 혐의에 대해서는 무죄가, 국정원의 증거조작 혐의에 대해서는 유죄가 확정되었다.

국정원의 국내 심리전은 계속될 것이다

독일·일본과 전쟁을 하던 1942년 당시 미국 대통령 루스벨트가 전시정보국을 설치하여 대국민 정보 조작을 자행하자, 야당인 공화당은 전시정보국을 대통령의 '선거기관'으로 규정한 다음, 예산을 삭감하고 국내 파트 활동을 엄격히 제한하였으며, 1945년 전쟁이 끝나자 아예 기관 자체를 없앴다. 이후 중앙정보국CIA이 칠레, 니카라과, 인도네시아의 쿠데타를 지원하거나 마약 밀매에 개입하는 등 국제사회에서 '더러운 정치'를 계속 벌여왔지만, 국내 선거나 정치에 개입하여 야당을 무력화시키는 등의 일은 하지 않았다.

그러나 한국의 역대 대통령들은 언제나 '방첩'의 명분으로 군과 경찰을 정치적 도구로 활용해왔다. 국군 창설기에 이승만 정부는 군에 정치국을 설치하려다가 미국의 반대에 부딪혀 '정훈국'으로 명칭을 바꾸어 존속시켰고, 이후 방첩대는 이승만의 정적 제거나 사찰 도구로 기능하였다. 5·16 직후 박정희 쿠데타 세력이 곧바로 중앙정보부를 만든 이유도 북한의 위협보다는 국내정치용이었고, 이후 선거개입은 물론 야당과 재야인사 탄압에 활용하였다. 1948년 이후 지금까지 군 특무대(기무사), 경찰 사찰과(보안과), 중앙정보부(국정원)가 정말 얼마나 많은 간첩을 잡아서 국가를 지키는 역할을 했는지 잘 알 수 없으나, 이들의 정치공작, 사찰, 선거개입, 반인륜적 행위의 기록을 쌓으면 산을 이룰 것이고, 고문·폭력·협박·간첩조작 등으로 가족을 잃거나 육체적·정신적 불구자가 된 사람들의 눈물을 모으면 강이 될 것이다.

특히 1987년 민주화 이후에도 안기부(국정원)는 선거나 정치공작에 개입하였고, 1992년 선거 직후에는 "정치 관여를 일체 중단하고 산업정보 수집활동을 강화하는 쪽으로 기능을 개편하겠다"고 발표하고 명칭까지 바꾸었으나 그런 약속은 지켜지지 않았다. 노무현 정부 당시에도 국정원의 국내 정보 부서를 없애고 수사권을 제한하거나 폐지하자는 논의가 있었으나 유야무야되고 말았다. 그 결과 이명박 정부에서 국정원은 대북심리전이라는 이름 아래 '삼류 국가'에서나 볼 수 있는 댓글 공작과 각종 국기문란 사태를 일으켰다.

그런데 이번 여야 합의 국정원법 개정안에서 국내 파트 폐지나 국내 심리전 활동 제한 내용은 포함되지 않았고, 사이버 심리전과 관련해서는 정보통신망을 이용한 정치관여 행위를 처벌한다는 내용만 들어갔으며, 정치관여에 대한 처벌만 약간 강화되었다. 국정원의 불법·반인륜적인 댓글 공작이나 그것에 대한 국정원장이나 국방부의 적반하장 격의 태도, 박근혜 대통령의 자세를 보건대 이런 법안은 거의 있으나마나 한 것이다. 한 공안검사 출신이 문재인은 공산주의자라고 공공연하게 떠들 수 있는 나라에서, "박원순 시장의 정치적 영향력을 차단하라"는 식의 문건을 만든 의혹의 당사자인 국정원은 대북심리전의 이름으로 또다시 정치에 개입할 가능성이 매우 크고, 만약 폭로되어도 개인 일탈이라고 둘러댈 것이 뻔하다. 이들에게 야당은 내부의 '적'이며, 야당의 집권 가능성은 곧 '적화'를 의미하는 것이고, 그래서 대북심리전과 국내정치는 구분될 수 없는 것이다.

독일 법학자 에른스트 프랭켈E. Fraenkel은 히틀러 치하의 독일을 '이중국가'라 표현했다. 정부·정당·의회 등으로 구성된 국가가 있다면, 그 위에서 국민의 감시와 통제, 법의 제약을 받지 않고 활동하는 정보 수사기관이 상위의 국가를 구성한다고 본 것이다. 그런데 전시도 아닌데 상위의 국가가 자신이 속한 '하위 국가'의 작동을 사실상 멈추는 활동을 계속하겠다는 법안을 받아들인 민주당은 도대체 뭐하자는 집단인가?

2014-01-06

21세기 판 총독의 소리

1965년 한일 국교정상화 무렵 최인훈은 "해방된 노예의 꿈은 노예로 되돌아가는 것입니다"라는 일성으로 돌아온 일제 조선 총독이 '조선 백성'들에게 '반도 재입성'의 원대한 구상을 밝히는 「총독의 소리」라는 소설을 썼다. "충용한 제국 신민 여러분, 제국이 재기하여 반도에 다시 영광이 돌아올 그날을 위하여 은인자중 맡은바 고난의 항쟁을 계속하고 있는 제국 군인과 경찰과 밀정 여러분… 자중자애하고 권토중래를 신념하십시오. 반도는 제국의 꿈, 제국의 비밀입니다"라는 작가의 패러디는 1965년 이후 거의 반세기가 지난 2013년 오늘, 섬뜩한 현실이 되었다. 그러나 다시 돌아온 것은 총독이 아니라, '반도' 내의 총독의 후예들이었다.

'그들'은 확실히 권토중래했다. 그동안은 차마 하지 못했던 말들, 그리고 정치권 구석에서 나온 어이없는 주장 정도로 치부될 만한 주장들이 이제 막강한 국가권력의 힘을 얻어 집행되기에 이르렀다. '자학사관'을 극복하자는 교학사의 '뉴라이트 교과서' 검정 합격이 그것이다. 역사학계가 이 책의 수많은 오류에 대해 비판하자, '뉴라이트' 측의 대표집필자들은 중요한 것은 '사관'이라고 응답했다. 그렇다. 일제 말 독립군 토벌부대인 일본군 간도특설대 출신이 이 나라의 대통령이 되어 경제기적의 주역이 되고, 그의 선배 백선엽을 한국군에서 가장 본받을 만한 원로라고 억지로 추켜세워도, 또한 일제의 식민지 지배를 찬양하던 신문이 그 이후에는 군사독재를 찬양하다가 지금도 1등 신문으로 위세를 떨친다 해도 만족하지 못하겠다는 것이다. 일본 극우파의 후쇼사 교과서가 그랬듯이, 그들은 20세기는 자유와 공산 진영의 대결의 역사였고, 일제의 제국주의와 냉전, 군사독재는 모두 자유 역사의 일부에 속해 있다는 '사관'을 모든 자라나는 청소년들에게 확고히 심어서, 다시는 자주니 평등이니 하는 헛소리가 나오지 않도록 하겠다고 말한다.

그러니 일본 제국주의와 미국은 원래가 자유진영에 속했던 한 편이었고, 독립을 쟁취하겠다고 맨주먹으로 이 땅에서 일제에 맞섰던 어리석고 무지한 '투사'들보다는 미국에서 '자유'의 신념을 확고히 세우며 이제 일본이 망하면 미국을 충실히 따라야 한다는 '외교' 노선을 폈던 이승만이야말로 '건국'의 영웅이요 탁견을 가진 선구자였다는 것이다. 냉전으로 미국이 이 땅에 들어온 덕에 지난 60여년 동안 또다시 권력을 잡고 부도 누렸으나, 그것이 일제에 부역하고 정부수립 이후 저항하는 동포들을 총칼로 진압한 공으로 얻은 전리품이라는 내부의 지속적 비판에 몹시 불편했던 그들은 이제 자신이 누리는 권력과 부가 일본과 미국의 현지 대리자 노릇으로 얻은 보너스가 아니라, '반도'의 현실을 잘 알고 시대의 추이를 바로 읽었던 높은 식견 덕분이라고 말한다. 치욕은 이제 자랑이 되었다.

그렇다. 우리는 일본을 미국의 핵우산 보호 아래 자주국방 없는 반쪽 국가로 머물도록 하면서 아시아와 세계의 경제대국으로 성장하도록 후원해온 미국이 이제 일본의 재무장(집단 자위권 행사)을 추인한다는 놀라운, 아니 충분히 예상했던, 소식을 듣게 되었다. 1905년, 그들의 대표 카츠라-태프트가 비밀리에 만나 한반도의 운명을 좌우하며 한목소리를 냈듯이, 이제 또다시 한반도에서 분쟁이 일어나 '일본의 안보'를 위협하면, 합동으로 작전을 펼치겠다고 하지 않을까? 아니나 다를까 박근혜 정부는 전시작전권 환수를 2017년 이후로 연기하자고 미국에 제안함으로써 미국과의 '방위동맹'을 영구히 했고, 미국이 일본 재무장을 인정하겠다는 것에는 한 줄의 논평도 하지 않았다. 물론 새롭게 시동을 건 중국과의 '등거리 외교'가 어디까지 갈 수 있을지는 두고볼 일이다.

그래서 최인훈이 다시 소설을 쓴다면 '총독의 소리'가 아니라 '노예들의 합창'이라는 제목을 붙인 다음, 이렇게 써내려갈 것 같다.

"남한에 단 한 명이라도 종북파가 존재하는 한, 북한에 단 한 개의 핵이 존재하는 한, 자유세계의 완전 승리를 위해 미군은 남한에 영원히 주둔해서 우리를 보살펴야 하며, 과거 한반도에서 청일전쟁이 터져 일본이 동학 비적들을 토벌하러 왔듯이, 만일 종북파들이 준동하면 그들을 진압하기 위해 일본군이 남한에 상륙하는 것도 받아들이겠다. (…) 배고픈 자주는 구시대의 유물이고, 자주와 평등의 구호는 빨갱이들의 시대착오적 단골 메뉴다. (…) 가난은 죄다. 우리를 '검은 머리의 외국인'이라 말하지 마라. 글로벌 시대에 고리타분한 민족주의를 들먹이는 것은 계속 루저로 살자는 이야기다. '글로벌 스탠다드'를 열심히 '팔로우'해서 미·일이 '리드'하는 '글로벌 리그'의 '플레이어'가 되자."

2013-10-15

5·18,
기억 차단에서
기억 조작으로

가도 너무 멀리 갔다. 상식적인 수준에서 용납하고 인내할 수 있는 수위를 한참 넘었다. 5·18 항쟁 당시 총을 든 사람들이 북한에서 파견된 게릴라라고 조선·동아 종편 방송에서 공공연히 언급을 했다. 그들을 민주화 유공자라고 부르기 싫어하는 그 속마음이야 그러려니 할 만하다. 그런데 북한이 조직적으로 개입했다니? 이건 생존해 있는 현장 시민군을 욕보이는 일이고, 희생당한 사람들을 두 번 죽이는 일이 아닌가? 사건 당시 학살을 자행하던 신군부는 구속자들을 고문하여 간첩으로 몰려고 했다. 아무리 고문을 해도 간첩이라는 증거가 없으니 나중에는 이들을 '김대중 추종세력'이라고 스스로 고쳤다. 세상에 공작금 받고 목숨 바칠 인간이 어디 있는가? 만약 북한 게릴라가 광주까지 진입했다면, 휴전선이나 배를 타고 천릿길을 남하하여 '폭동'을 준비할 동안 수많은 군경 경비요원은 무엇을 했나?

술판의 허접스러운 대화에서나 나올 이야기가 종편을 타고 공공연히 유포되고, 바른 역사교육을 받아야 할 청소년들에게 일베 사이트 등에서 여과 없이 전달되고 있다. 급기야 항쟁을 하다 총을 맞아 죽은 시신을 조롱하는 내용까지 유포되기에 이르렀다. 그동안 광주 5·18을 폄하하고 싶어하는 그 어떤 세력들도 의로운 일에 목숨을 바친 사람들의 시신까지 조롱하지는 않았다. 그것은 문명사회에 살고 있는 우리가 지켜야 할 마지막 선이었기 때문이다. 그런데 1987년 이전에 5공 세력과 수구언론은 폭력적으로 '기억의 상실'을 요구했고, 가해자 처벌을 끝까지 거부했으며, 민주운동을 오직 '광주의 폭동'으로 축소하기 위해 온갖 방법을 다 동원하였다. 이제 기억이 희미해지고, 그들에게 유리한 정치환경이 조성되자 '기억의 조작'까지 시도한 것이다.

자기 마음에 맞지 않는 모든 사람에게 '종북' '빨갱이' 딱지를 붙이는 것을 용납하거나 부추겨온 그간의 정치상황이 없었다면 이런 일이 벌어졌겠는가? 무슬림에 대한 '증오범죄'는 평소 이슬람 문명을 비하해온 미국의 서구중심주의 정치문화의 산물이며, 나치의 600만 유대인 학살은 "지구상에 유대인이 없다면 능히 유대인을 창조라도 해낼" 반유대주의가 퍼져 있었기 때문에 발생한 것이다. 광주 5·18을 북한과 연계시키려는 것은, 북한과 공산주의를 욕하기만 하면 그 어떤 패륜적 인 범죄도 용납해온 한국 반공주의의 귀결이다.

세계사를 보면 잔혹범죄를 저지른 가해자들이 순순히 과오를 인정하고 반성한 경우는 드물었다. 그들은 범죄를 정당화하려는 정치·심리적 욕구 때문에 힘이 있는 한 피해자의 자백과 정치적 전향을 요구한다. 피해자에 대한 사회적 공감을 차단하고 가해 사실을 잊도록 만드는 것이 1차 목표지만, 더 자신감이 생기면 아예 자신이 한 일은 '사회의 좀벌레'를 제거한 당당한 일이었거나 국가를 위한 일이었다고 강변하고 나선다. 5·18 가해자들의 행동이 정당화되기 위해서는 항쟁세력이 남한의 '공공의 적'인 북한과 연계되어 있어야 하는 것이다. 그래야만 자신들의 최대 약점이 해소되고, 현실권력을 넘어 역사인식의 고지까지 점령할 수 있기 때문이다.

유럽 국가들이 나치 학살 부인을 처벌하는 법을 제정한 것은 학살의 부인이 민주주의를 후퇴시킬 뿐만 아니라, 야만적 행위를 옹호하는 범죄이기 때문이다. 기억의 조작까지 넘보는 한국과 일본의 극우에게는 이제 진실도 무의미한 지경까지 왔다. 반인도적 국가범죄를 부인하는 정도를 넘어서, 이제 언어테러까지 당하고도 우리가 그냥 넘어가야 하나?

2013-05-20

7부

밥은 누구의 고통으로 만들어지나 —단상들

선비정신의 세계화?!

소백산 죽령을 수백번 넘어서 고향(경북 영주)과 서울을 지난 42년 동안 오간 나는 언제부터인가 '선비의 고장'이라는 구호가 몹시 불편했다. 이웃 안동을 갈 때도 '한국 정신문화의 수도 안동'이라는 구호가 참 어색했다. 지금 복원사업이 한창이지만 대구 가는 중앙선 기차에서 본 석주石洲 이상룡 선생*의 임청각은 수십년 동안 거의 폐가 상태였다.

물론 어릴적 어른들께 배운 좋은 가르침도 있지만, 내가 본 갓 쓴 노인들, 일가친척의 어른들께 '씨족' 관념이나, 명절 제사와 '예의범절' 외에 '선비정신'의 내용은 별로 발견하지 못했다. 예전에 90대 할머니께 들었던 풍기 '의병' 대장들 이야기, 공부를 해서 알게 된 '무섬' 마을 등지의 지역 항일 독립운동가들의 이야기를 기억하는 이 고장 사람들은 거의 없다.

그러고도 '선비의 고장'이라 한다. 낯이 간지럽다. 출향인이 이런 말 할 자격이 없지만, 시민정신이 오늘의 선비정신일 것이다. 우병우와 최교일로 이제 마감하자. 지난 600년 동안 고향서 미복권 상태로 있는 정도전을 불러내자.

---

* 안동 출신의 독립운동가. 간도로 망명하여 신흥강습소, 부민단 등을 조직하여 독립운동에 힘썼다.

밥은 누구의 땀과 고통으로 만들어지나

김용균의 죽음으로 우리는 많은 것을 알게 되었다.*

누구의 목숨을 대가로 사실을 알게 되는 사회는 아직 후진 사회다. 수십, 수백, 수천명이 사회적 이유로 목숨을 버려도 여전히 실상이 알려지지 않거나 알려고 하지 않는 사회는 야만 사회일 것이다. 내가 먹고 버리고 배설하는 것들이 어디에서 와서 어디로 가는지 가르치는 것이 교육의 근본이다. 한국은 학생이나 어른이나 이 점에서 근본이 없는 정말 무식한 인간들의 세상이다.

학력이 높을수록 무식하다. 나도 여기에 포함된다.

내가 사용하는 전기가 어디서 누구의 피땀으로 만들어지나?

내가 먹는 밥이 누구의 땀과 고통으로 만들어지나?

내가 버리는 쓰레기가 어디로 가나?

아이나 어른들에게 이것을 가르쳐야 한다. 우리도 현장을 가봐야 한다. 관료들을 모두 현장으로 보내야 한다.

---

* 「"태안화력, 화장실도 없었다…구내식당도 그림의 떡"」, KBS 2018년 12월 27일 자 기사 참고.

전교조,
그후 30년

그 시절, 이듬해(1989) 다가올 폭풍을 예상하지도 못한 채 음악실에 숨어서 교사협의회를 창립했다. 해직의 고통을 겪을 당시 20대말 30대초였던 그들은 이제 50대말 60대초가 되었다.

이날 함께 조직을 만든 동료들을 멀리하고 곧 재야연구소, 그리고 박사과정으로 내뺐던 나는 아직도 교육 현안에서 떠나지 못한 채 교육청 같은 데 가서 민주시민교육에 대해 떠들고 있다.

이들 중 누구는 퇴직을 했고, 누구는 아예 다른 직업을 택했으며, 다른 이들은 전교조를 탈퇴하기도 했다. 그러나 아직도 분회장을 맡고 있는 고목나무 같은 지킴이도 있다. 지난 30년 사이 학교는 더 황폐화되었고, 교육은 더 망가졌다.

그러나 당시 그들은 사명감과 열정에 넘쳐 있었고, 매우 정의로웠다. 5년 후 신임 형태로 복직해야 했던 그들은 교사운동을 외면했던 동년배들보다 훨씬 적은 액수의 연금을 받게 되었다. 회한이 크다.

갑질

적절하고 훌륭한 비유, 여러 사례를 인용하고 동원한 송두율 선생님의 멋진 칼럼*을 읽었다. 언젠가 이 주제로 칼럼을 한번 쓰고 싶었는데 송두율 선생님이 먼저 써버린 것이다.

나는 갑질은 신분, 계급, 권력이 모두 결합된 한국식 강자 지배의 독특한 양식이라 본다. 이것이야말로 가장 한국적인 현상이다. 갑질을 근절하기 위해서는 사회적 인정, 약자에 대한 배려와 존중만으로 되지 않고, 기업권력과 관료권력의 통제가 필요하다.

양진호의 폭력에 아무 저항도 않고 일하던 이 현대판 노비들을 어떻게 일어서게 할 것인가? 이 시대 최대의 숙제다. 촛불시위의 일상적 점화가 필요하다.

---

* 「갑질에 대하여」, 『경향신문』 2018년 11월 27일자 '송두율 칼럼' 참고.

철밥통이 아니라 법 위의 특권집단

나는 '전관예우'라는 말을 기자들이 아무 생각 없이 사용하는 것이 가장 불편하다. 그것은 권력형 범죄, 권력형 부패라 불러야 한다. 판사·검사 퇴직한 후 변호사 개업할 수 있게 한 법부터 개정해야 한다. 사법부의 조직 독립이 아니라 판사 개인의 독립과 사회적 대우를 보장해주되, 자기 판결에 책임을 지게 하고, 잘못하면 탄핵해야 한다. 판사의 직급을 과도하게 높게 만든 것도 시정되어야 한다.

물론 판사 수를 늘려서 그들의 과중한 업무도 줄여주고 소신판사를 격려해야 한다. 군사정권 시절 고문한 경찰이나 안기부 요원들보다 판결을 내린 판사나 검사의 범죄가 훨씬 컸다. 그런데 그 누구도 처벌받지 않았다.

한국에서 이보다 더 부정의한 일이 없고 이들보다 강력한 특권을 가진 집단이 없다. 그런데 대다수 판사들의 공인의식은 거의 바닥 수준이다. 나이 일흔이 되어도 고등학교 때 성적이나 자랑하는 비뚤어진 엘리트 의식을 가진 자들이 그들 중에 많다.

학생의 날

매년 11월 3일은 1929년 일어난 광주학생운동을 기념하는 '학생의 날'이다. 광주학생운동은 우발적 반일감정에 의한 한국 학생들의 시위로 알려져 있지만, 그 안에 이미 25년 이후의 학생운동을 이끌 배후지도 그룹이 있었다.

29년 전 오늘(1989년 11월 3일) 광주학생운동 60주년 기념 학술행사에 토론자로 참석했던* 나는 그 자리에서 1929년 광주의 주역인 좌·우(?) 70대 노인들이 주먹다짐하면서 충돌하는 것을 지켜보았다.

1989년 당시만 해도 사건의 도화선이 되었던 박준채 등 광주학생운동의 주역들이 살아 있었고, 그날 토론장에도 왔었던 기억이다. 그후 진실화해위원회에서 광주 지역 학살사건 조사를 하다보니 광주학생운동의 배후 주역들(성진회 멤버) 상당수가 6·25 전후 학살당한 사실을 확인할 수 있었다.

광주학생운동, 혹은 광주의 지역사를 누군가 다시 연구해야 할 것이다.

---

* 졸고 「광주학생운동 60주년 기념논문: 1920년대 학생운동과 맑스주의」, 『역사비평』 1989년 가을호 참고.

고양 금정굴 사건의 진상규명사

신기철이 쓴 『황금무덤 금정굴 거짓에 맞서다』(인권평화연구소 2018)는 대단한 저작이다. 한국 지역평화운동사의 산 교과서다.

국가폭력의 역사는 피해자들의 호소와 외침에 의해 세상에 알려지고, 문제 해결의 길로 들어선다. 그러나 지역의 활동가, 시민운동가들이 이들의 목소리를 세상에 알려서 해결에 앞장서지 않는다면 피해자의 외침은 메아리로 끝나고 만다.

고양 금정굴 학살사건은 한국전쟁 전후 발생한 수백건의 유사 사건 중 하나다. 그런데 이것이 일찍 세상에 알려지고(물론 아직도 고양시에 사는 사람 중 이것을 모르는 사람이 더 많다), 수많은 우여곡절을 거쳐 해결의 길로 가게 된 것은 소수의 지역활동가가 있었기 때문이다.

93년 고양시민회의 김양원, 그 이후 외지인인 이춘열, 신기철이 없었다면 이 사건은 세종, 아산 등의 사건처럼 유족도 찾을 수 없는, 죽은자들의 뼈와 신발로만 남았을 가능성이 크다.

정치는 언제나 최후단계에 수동적으로 개입하고, 극소수의 운동가들이 먼저 시작한다.

4·3과 화해

크리스찬아카데미 원장이신 이근복 목사님은 목사님들 대상의 전국순회 모임에 현재의 한국 기독교에 대해 매우 비판적인 나를 자꾸 초청 강사로 부른다(목사님들을 '의식화하려는' 의도?).

몇번 가기도 했는데 며칠 전 제주도에서도 큰 교회인 성안교회에서 흥미로운 이야기를 들었다. 70년 만에 처음으로 기독교가 올해 4·3 관련 연합예배를 드렸다는 것이다.*

기독교가 서북청년회 등 주로 가해의 측에 있어서 그런지 제주도에서 기독교는 아직 4·3의 역사와 고통을 받아들이지 못한 것 같다. 제주도 기독교 신자의 비율이 다른 곳에 비해 크게 낮은 것도 4·3과 무관하지 않을 것이다.

제주도는 무속 전통이 매우 강하다. 그래서 목사님들은 주민들에게 접근하기 쉽지 않다고 말한다. 일부 목사님들은 제주를 더 잘 알기 위해 무속 공부를 하고 싶다고 말하기도 했다. 나는 무속 연구자인 김성례 교수를 이들에게 소개하면서 종교를 먼저 내세우지 말고 제주 주민들의 역사와 아픔에 먼저 공감하면서 접근하는 것이 어떻겠느냐고 말했다.

---

* 「제주 4·3의 화해자 모슬포교회」, 『뉴스앤조이』 2018년 4월 6일자 기사 참고.

대구경북 출신 진보는 어떻게 살아왔나?

영남지역에서 지난 30년 동안 사회운동이나 야당, 진보정치 운동을 해온 사람들은 과거 독립운동 했던 사람들만큼이나 힘들게 살았다. 영남 '출신' 인사들도 마찬가지였다. 그것을 못 견딘 영남 운동권 출신 정치가들은 일찍 전향을 했다(김문수, 이재오 등).

이제 긴 터널의 끝이 보인다. 지난 40년 고향에서 이방인 취급당했던 나도 마찬가지다. 40년 세월이 지나니 나도 이제 꽉 찬 중년(초로)이 되어 공식 행사에 초청되었다. 경북작가회의를 열성적으로 주도했던 권석창 선생님과 전교조 사람들 몇이 이제 부담없이(?) 나를 강사로 불렀다.

친구 친척들에게 따돌림당하며 살아온 5,60대 경상도 아저씨들, 소문 듣고 찾아온 초·중등 친구 몇사람과 기념사진을 찍었다.

노회찬 의원
문상

민심은 거짓말을 하지 않는다. 점심시간이 지난, 하루 중 비교적 한가한 시간인데도 문상객이 너무 많아 30분 이상 줄을 서야 했다. 빈소를 지키는 정의당 사람들은 평범한 시민들이 많이 오는 것 같다고 말해준다.

지금까지 한국에서 삼성 같은 대자본과 맞서거나 약자·노동자의 편에 서려는 사람은 정치권 밖이거나 안이거나, 유머와 인문학적 감성이 있음에도, 심지어 경기고와 SKY 대학을 나와도 죽어나갈 수밖에 없는 운명이라는 생각을 해보았다. 그럴진대 갑남을녀가 매일 겪는 굴욕은 물어볼 필요도 없지 않겠는가? 야만의 세월은 언제 끝날 것인가?

국민들은 노의원 같은 정치가를 절실히 원한다. 그런데 그런 사람을 국회에서 찾아보기 어렵다. 국회 진입 자체가 거의 불가능하다. 노의원 같은 국회의원이 10명만 있어도 나라가 이꼴은 아닐 거다. 우리는 너무 소중한 사람을 잃었다. 지금은 애도의 기간… 애도의 기간이 지나면 정치권 '불판갈이'를 해서 그의 죽음이 헛되지 않게 해야 한다.

핀란드의 교육혁명

교과서를 없애고, 과목을 없애면 아마도 교사, 교육부 공무원, 학부모들 난리날 것이다. 교사와 공무원 일자리가 사라질 위험이 있으니… 그런데 이게 아이들의 장래와 나라를 위해 훨씬 바람직할 것 같다. 아니 장차 그렇게 되어야 한다.

카페에서 일하기, 집 짓는 현장에서 일하기, 농부들과 함께 씨 뿌리고 밭매기, 동사무소에서 일하기, 협동조합에서 일하기, 제조업 공장에서 일하기, 선거현장에서 후보나 운동원 따라다니기, 컴퓨터 수리하기…

이런 것 한 달, 아니 일주일만 해도 학교에서 무엇을 왜 공부해야 하는지 느끼게 될 것이고 학교 교육과정은 완전히 변할 것이다. 그러면 아마 교사고시, 교사연수원, 교육대학 교육과정이 완전히 뒤집어질 것이다. 이것이 교육혁명이다.

대학도 마찬가지다. 학생들과 1학기 지역사회와 마을을 돌아다니며 자영업자 만나보고, 주민 인터뷰하고 단체 방문하고, 활동가들과 같이 일하면 정치학, 사회학, 경제학, 사회복지학 통합교육은 절로 될 것이다.

기무사가 뭐예요?

기무사가 뭐예요? —옛날 보안사였단다.

보안사가 뭐예요? —그 옛날 방첩대, 특무대, CIC란다.

방첩대, 특무대가 뭐하는 곳이에요? —군 첩보기관, 군 내 간첩 잡는 곳이란다.

그런 기관이 왜 필요해요? —군 내 보안 때문이라고 볼 수 있겠지. 그런데 쌍용차 파업 때 노동자 사찰하고, 노태우 정부 때는 안보위기 오면 국가의 '위험' 민간인 잡아서 처단하려고 리스트까지 만들었던 곳이란다. 아니 그 전에는 학생·재일동포 고문하고 간첩으로 조작하기도 했고, 50년대에는 조봉암을 간첩으로 만들어 사형하도록 작업을 했고, 한국전쟁 때는 수십만 보도연맹원을 불법으로 학살하기도 했단다. 군 내의 방첩만 담당하게 되어 있는 기무사 대부분의 대민 활동은 불법이었단다.

이번에도 그들의 계획이 실행되었으면 촛불시민을 죽일 수도 있었겠네요? —아마 그랬을지 모르지.

근데 왜 이런 기관을 과거 민주정부에서도 그대로 두었을까요?

문재인 정부도 그냥 수사만 하고 말까요?…

대법원

누가 1억원을 지원해주면 대법원 연구를 하고 싶다. 조사비와 인건비로만 쓰겠다. 연구자·법률가 10명 정도 팀을 구성해 대법원에 계류된 사건들이 어떤 것들인지 전수조사하고 분류한 다음 계류의 이유를 밝히겠다. 10년 이상 계류된 민감한 사건도 있다고 들었다. 아무리 대법관 업무가 과중하다고 하나 이것은 정말 말이 안 되는 폭력이다.

다음으로는 대법원 판사를 지낸 사람들이 지금 어디서 무엇을 하는지 전수조사를 하겠다. 그들의 판결이 이후의 자신의 진로와 과연 무관한 것인지 밝히는 데 이보다 더 좋은 조사가 없을 것이다. 마지막으로는 판결문 분석을 하겠다. 대법원은 판결을 위해 별도의 조사를 하지 않는다고 하니 그 법리들 뒤에 숨어 있는 정치사회학적 논리의 타당성을 밝히겠다. 그래서 이익이 충돌하는 사안에서 대법원의 판결이 어떻게 강자들 편에 서는지 정치사회학적으로 분석할 것이다.

그런데 이런 중요한 사안에 연구비 지원을 해주는 곳이 없고, 이런 작업을 하는 법사회학자를 국내에서 찾아볼 수가 없으니 그냥 정말 필요한 일이라고 이렇게 넋두리를 할 수밖에 없다. 지원과 인력과 돈이 있는 언론기관이 이 작업을 해주기를 기대한다.

노동 3권

한국의 민주화로 노동 3권이 보장되었다고 누가 자꾸 현실과 맞지 않은 말을 하나? 검찰은 다스 소송비 관련 삼성 조사과정에서 노조파괴 관련 문건 6천건을 발견했다고 한다.

한국은 아직 노동 3권이 보장되지 않는 나라다. 즉 사회적 합의의 기반이 마련되어 있지 않다는 말이다. 유럽식 노사정 협의, 조합주의가 가능하려면 노조를 경제의 파트너로 인정하는 것이 기본적인 전제 조건이다.

기업별 노조는 회사 안 사용자의 '적'일 수도 있고, '어용' 조직일 수도 있다. 어떻게 할 것인가?

사회적 노조가 새롭게 탄생해야 한다. 기존 노조는 직장협의회가 되고.

한국 학교는 노동자 안 되기 위한 전쟁터

한국 교육 문제(사회이동 열망)는 곧 노동 문제(연대 해체)의 다른 면.

이것은 교사경력자이자 노동연구자인 내가 지난 25년 동안 반복해온 주장.

4년 전 '진보' 교육감 두 분에게 학교 노동교육 필요하다 말했는데 바뀐 게 없다.

하종강 선생의 이 책*이 이제 답을 줄 것이다.

모든 학교에서 노동교육을 허하라!

젊은 교사들을 연수원에서 훈련시켜라.

* 하종강, 『선생님, 노동이 뭐예요?』, 철수와영희 2018.

지금 한반도는
거대한 시민정치 교실

1. 촛불의 힘, 시민의 힘은 대통령과 정권의 자신감을 배가시켜 불가능하다고 생각했던 것을 가능하게 만든다—민民의 힘과 정치.

2. 북한은 합리적 행위자다—색깔론·반북론 되돌아보기, 분단의 성격.

3. 남북이 전쟁 대신 화해로 나아가니, 전쟁과 안보위기로 먹고살아온 냉전 수구세력의 민낯이 드러난다—한국의 이른바 '보수'의 성격.

4. 남북이 전쟁 대신 화해로 나아가니, 한반도 분단과 갈등에서 이익을 챙겨온 일본이 다급해졌고, 중국도 여기에 끼어들려 한다— 동아시아 국제정치의 성격.

5. 남북한은 단지 약소국, 희생자가 아니다. 국민의 참여로 좋은 지도력을 갖춘 세력을 뽑으면, 자기 운명의 주인이 될 수 있고, 주변국이나 세계도 변화시킬 수 있다—탈식민과 분단, 냉전의 성격, 한반도의 지리정치학.

6. 전쟁, 평화는 국내정치와 연동되어 있다—사회세력과 평화.

7. 한국의 주류 외교세력, 국제정치학은 중대 국면에 거의 무용지물이다—한국의 관료 엘리트의 한계, 미국파 북한연구자·주류정치학의 파산.

8. 미국 패권이 저무니, 한반도의 입지가 넓어진다—국제정치.

자, 정치가 이렇게 시민교육을 주도하고 대신하니 미디어, 학교, 교사, 교수, 시민운동가는 지금 어떻게 해야 하나? 한국전쟁, 한반도현대사 다시 정리하고, 이 천재일우의 기회를 자료로 활용해야지.

외교의 시대가 열렸다

지금까지 70년 동안 한국에 외교가 있었는지 의심스럽다. 그런데 이제 외교가 필요한 시대가 되었다. 문재인 대통령이 정말 지혜롭게 그 문을 열었다. 트럼프가 아무리 개인플레이로 덥석 북미회담 제의를 받았다 하더라도, 미국의 기득권 공화·민주 양 세력이 그것을 원점으로 돌리기는 어렵게 되었다. 그렇다면 이제 한국정부는 미국의 공화·민주 양당을 상대로, 즉 군산복합체를 향해 외교를 펼쳐야 한다.

일본이 그들 군산복합체의 시장이 되도록 해야 한다. 중국을 안심시키는 외교가 필요하다. 한반도 평화를 지지하는 유럽의 우군을 끌어들여야 한다. 자유한국당과 한국 수구보수의 치명적 약점은 여전히 '소국주의' 즉 5,60년대 한국의 위상이 머릿속에 있다는 것이다. 그런데 세계 13위 경제대국 한국은 이미 그런 나라가 아니다. 탈냉전·평화의 기조로 외교를 펴야 한다. 지금은 1948년 미국 공화당이 압승한 후 한반도에서 발을 빼려던 상황과 비슷하다.

사실 한반도는 20세기 이후 미국에 결정적 이해가 있는 지역은 아니다. 일본과 중국만이 관심이다. 그 틈새를 적절히 최대한 이용할 필요가 있다. 그동안 한국이 진 동아시아 안보 위기의 부담을 이제 일본에 넘겨야 한다. 그리고 한반도는 한국 전쟁 이전의 상황으로 가야 한다. 남북이 공존하면서 경제적으로 번영하는 길을 찾아야 한다.

이게 현재로서는 최선이다.

성폭력의 계급성

성폭력이 전국적인 이슈가 되고 있지만, 사실 중산층 전문직 여성들이나 그 정도의 용기를 낼 수 있지, 일터에서 일상적으로 성폭력을 겪고 있는 수십, 수백, 수천만명의 여성 노동자들은 아직 이것을 드러낼 수가 없다.

1998년 내 연구실로 루스 베러클러프R. Barraclough라는 백인 여성이 찾아왔다. 한국노동사, 여성노동에 관심이 있다고 했다. 한국어를 약간 했다.

내 책 『한국사회노동자연구』(역사비평사 1996)를 읽고 왔는지 모르나 외국 여성이 한국의 노동사·노동문제에 관심을 갖는 것이 너무 신기했다. 그후 몇번을 더 찾아왔는데, 대화하면서 관련된 자료와 사람을 소개해준 기억이 난다. 그러고는 그녀를 완전히 잊었는데 2013년 호주국립대학에 강사로 초청받은 자리에서 그녀를 다시 만났다. 한국여성사 논문으로 박사를 받고 그곳에서 강의를 하고 있어서 무척 반가웠다. 이번에 번역된 책 『여공문학』(후마니타스 2017)을 보니 내 이름을 언급하고 여러번 인용했다.

"여성의 삶을 깊숙이 통제한 성폭력을 이해하지 않고서는 한국의 산업화 경험도 불완전한 것이다."

그녀가 이 작업을 한 이유다. 한국 자본주의는 여성에 대한 성폭력 위에 서 있다. 회사의 권력과 가부장주의 권력이 결합하면 가장 가공할 만한 성폭력이 아무런 견제 없이 자행될 수 있기 때문이다.

신영복 선생님

돌아가신 지 벌써 2년이 되었습니다. 1990년 무렵, 같은 사건으로 20년 감옥생활을 한 선생님의 동료 어떤 분에게 신영복 선생님은 어떤 사람이냐고 물었더니, "평시의 재상감"이라고 하더군요. 그렇게 보면 신선생님은 '전쟁'에서 치명상을 입고, 그 상처로 오랜 세월 고생하다 그로 인해 결국 돌아가셨다는 생각도 들었습니다.

20년 가까이 바로 연구실을 옆에 두고 있어서, 직접 연락이 안 되니 글씨 좀 부탁해도 되겠느냐는 각종 운동단체의 연락도 많이 받았습니다. 사실 돌아가시기 전에 긴히 물어보고 싶은 것이 몇개 있었는데 끝내 물어보지 못하고 말았습니다.

사람은 가도 그 자취는 짙게 남습니다. 오늘(2018년 1월 14일) 추도식에 참석한 많은 '유명한' 분들이 바로 선생님이 남긴 큰 자취를 보여주는 증거입니다.

영화 「1987」

영웅의 이야기는 큰 감동을 준다. 그런데 '남한산성'도 전후의 역사가 더 중요하듯이 「1987」에서도 실제 중요한 역사는 '6월 항쟁' 이전과 이후다. 그러나 영화의 특성상 그것을 다 보여줄 수는 없었을 것이다. 그것은 학습, 역사연구, 사회과학의 영역이다. 이 영화는 왜 6월항쟁이 노태우의 당선으로 귀결되었는지, 그 위대한 항쟁에도 불구하고 오늘 한국이 왜 이렇게 힘든지는 말해주지 않는다.

많은 젊은이들이 이 영화를 보는 것은 좋은 일이다. 그러나 지적 호기심, 학습 의욕으로 연결되지 않는다면 한편의 '오락물'을 즐기는 데 그칠 것이고 지금과 미래의 자신을 개척하는 데도 별로 도움이 되지 않을 것이다.

이 영화를 본 내 소감은 착잡하고 무거웠다. 이미 그해 8월 대투쟁이 본격화되었을 때 보수언론, 중산층, 제도정치권의 역공이 떠올랐기 때문이다. 대기업은 사내복지를 검토하기 시작했고, 노동자들은 회사의 담장을 넘지 못했다. 학생 출신 운동권 투사들은 양김 헤게모니에 흡인되었다. 지난 30년의 역사는 87년 7월부터 12월 사이에 일어난 일을 통해 읽어낼 수 있다. 영화를 보고나서 촛불 이후 한국이 어디로 가야 하는지 고민하게 되었다는 젊은이들을 보고 싶다.

남원 찍고 영주로

남원 흥부골에 낙향하여 유기농법을 실천 보급하는 전교조 출신 이동진 선생님의 강권도 있고, 영주 고향 분들이 뜻을 모아 시민단체를 만든다기에 전라·경상 두 지역 2박 3일 강연여행을 다녀왔다. 촛불의 동력에 힘입어 이제 풀뿌리 지역정치의 변화를 위한 몸부림이 전라와 경상 양측에서 일어난다. 특히 영주(봉화) 출신 삼봉 정도전을 사후 600년만에 복권시키고 그의 민본사상을 잇겠다는 단체 민실련이 떴다.

강연자로 갔지만 오히려 지역사정을 들었고, 토호세력에 맞서는 지역시민사회의 자력화가 어떻게 가능한지 고민거리를 안고 왔다. 지자체 선거를 앞둔 지금이야말로 지역정치의 재건을 위한 정말 중요한 시기라는 생각이 들었다.

농민운동이 크게 약화된 남원은 가장 큰 조직인 생협과 전교조의 역할이 요구되는 듯한 인상을 받았고, 경북 지역은 30년(70년) 수구 독재를 걷어내는 밑바닥 작업이 필요하다는 생각을 했다. 경북 지역도 좋은 인물이 있으면 내년(2018년) 선거에도 해볼 만하다고 한다. 그런데, 자유총연맹·새마을 등 전통 관변 시민사회와 민주평통은 어떻게 개편해야 하는지? 누가 지역정치 큰 그림 그리는 사람이나 단체 없을까? 청와대나 더민주당은 어떤 복안인지?

추석, 사라진 고향

"산정에 배를 메고,"

노촌老村 이구영* 선생님이 제천 청풍호 물에 잠긴 고향집을 그리워하며 이렇게 읊었지만, 나는 "기와 지붕 위의 아스팔트에 차를 몰고," 이렇게 말해야겠다.

400년 전통을 자랑하는 우리 동네 가흥리(한절마을)의 반은 이제 아파트촌과 상가로 변해 끝자락 흔적만 약간 남았고, 둑 위에 서서 동네 수해현장을 지켜보던 40대 초반의 아버지는 이미 십년 전에 고인이 되었고, 아궁이에 불 때며 감주 담그고 탕국 끓이며 추석 준비하시던 어머니는 아흔의 꼬부랑 할머니 되셨고, 같이 놀던 동네 불알친구들 중 셋은 벌써 저세상 사람이 되었고…

두보의 시처럼, 희끗희끗한 머리로 고향에 가서 두리번거리면 동네 아이들이 "어디서 온 누구세요"라고 쳐다볼 것 같다.

* 1920-2006. 남파공작원 출신의 장기수이자 한학자. 감옥에서 만난 신영복에게 서예와 한문을 가르침.

77. 11. 11.

40년 전 오늘, 유신말기의 늦가을은 을씨년스러웠다. 몇개 대학의 캠퍼스에서 발생한 유신반대 시위는 대체로 10분, 길어야 30분 안에 학내 진을 치고 있던 사복형사, 전투경찰들에 의해 진압되었고, 참가학생은 100여명에서 많아야 수백명을 넘지 않았다. 국내 언론에는 단 한줄도 보도되지 않았으니 당연히 세상 사람들은 그런 일이 일어난 줄도 몰랐다.

이념서적을 읽었으나 이념보다는 정의감이 그들을 행동하게 한 주요 동기였다. 긴급조치 판결은 붕어빵처럼 똑같았다. 유신말기의 광기가 극에 달한 시점이었다. 운동권 고학년들이 감옥갈 각오로(박정희의 영구집권이 거의 확실했으므로 미래를 완전포기) 감행한 이 데모에 철없이 아니면 선배 권유로 멋모르고 가담했던 1학년 학생들 수십명은 두 번 잡힐 경우, 그 이유만으로 제명처분이 되고, 한 번 잡힌 학생들은 무기정학 처분되어 79년 10·26으로 박정희가 사망할 때까지 다시 학교로 돌아올 수 없었다. 더러는 다시 입학시험 봐서 다른 대학에 입학하기도 하고, 나이 많은 학생들은 군에 끌려갔다. 84년 이후 '유화국면'즈음에 학생회 간부가 된 사람은 이미 대중 스타가 되어 그 이후에 정치권에 들어가기도 하고 지금까지도 소위 386(586)으로 불린다.

그러나 유신말기의 지하 학생 투사들과 수난자들은 자신의 결단과 희생을 세상에 알릴 기회가 없었고, 정신적으로나 육체적으로 힘든 삶을 살아온 사람이 대부분이며, 지금까지도 잊혀진 존재로 살고 있다.

77. 11. 11. 사건의 끝자락에 연루되었던 내가 그 시절의 수많은 열혈 투사들을 대신해 희미한 기억의 한 자락을 전한다.

7·27은 종전일이 아닌 휴전일

며칠 전 제시 킨딕J. Kindig이라는 미국인 여성학자가 찾아왔다. 미국의 세계전략과 한국전쟁, 한국전쟁기 성폭력 등에 관심이 있는 학자인데 한국에서 한국전 종식Ending Korean War을 주제로 계속 연구·활동하는 팀이 있는지 물었다. 진실화해위의 전쟁기 학살 조사는 어떻게 되는지 등등도 물었다.

미국에서는 이미 수년전부터 한국계 학자, 활동가들이 주도해서 한국전 종식을 위한 공동 강의, 캠페인 등을 벌여왔고, 그녀도 이 일환으로 한국에서 그들과 교류할 수 있는 팀이 있는지 내게 물은 것이다. 그러나 안타깝게도 한국에는 그런 모임이 없다고 말할 수밖에 없었다. 미군 폭격에 의한 피해, 가해자 책임 문제, 기독교와 우익 학살, 전쟁기 성폭력 등도 소수의 연구자가 문제제기를 할 따름이고 영어로 소개된 것은 거의 없을 것이라고 답변을 해주었다.

정전 64년이 지났으나 정치적으로 휴전을 평화체제로 전환하지 못하는 것도 안타깝지만, 한국의 지식사회에서 이런 중요한 문제를 지속적으로 토론·문제제기·조사연구 하는 그룹이 없는 것 역시 아쉽다. 또한 이런 주제에 관심있는 학생과 시민을 찾을 수 없다는 사실도 창피하다. 역시 한국은 아직 제대로 된 국가가 아니라는 반복적인 결론으로 돌아온다.

촛불의 승리 맞습니다

문재인 대통령 당선을 축하합니다. 부드럽지만 단호하고 엄한 대통령이 되기를 기대합니다. 노무현 정부의 실패를 넘어서야 합니다. 그동안 선거운동에 불철주야 뛰었던 각 당의 운동원들도 정말 애쓰셨습니다. 새로운 대한민국이 열리기를 '간절히' 기대합니다. 탄핵 촛불이 없었으면 새누리당이 건재했을 것이고, 개혁 추진의 동력도 제대로 얻을 수 없었을 것입니다.

박근혜 탄핵반대 22%는 그대로 남아 홍준표를 지지했습니다. 그러나 PK·TK 균열, 큰 진전입니다. 색깔공세 약발이 반 정도만 먹힌 것도 큰 변화입니다. 한국이 분단국가가 아니었다면, 이명박·박근혜의 굴절된 정치가 없었다면, 안철수·심상정·유승민이 제기한 의제가 시대적 과제가 되었을 것입니다. 그러나 우리는 우회를 할 수밖에 없었고, 결국 다시 민주주의, 즉 공정한 나라 건설의 과제를 완수해야 합니다. 심상정, (부분적으로) 유승민은 미래를 보여주었습니다. 문재인 정부는 양극화 극복, 노동, 교육, 복지 등 사회개혁 의제가 정치의 장으로 본격적으로 들어올 수 있도록 조건을 마련해야 합니다.

우리는 이제 다음 행선지로 갈 정거장에서 차를 탔습니다.

대한민국은 어디로?

초판 1쇄 발행 2019년 9월 20일

지은이 김동춘
펴낸이 안병률
펴낸곳 북인더갭
등록 제396-2010-000040호
주소 10364 경기도 고양시 일산동구 고봉로 20-32, B동 617호
전화 031-901-8268
팩스 031-901-8280
홈페이지 www.bookinthegap.com
이메일 mokdong70@hanmail.net

ⓒ 김동춘 2019
ISBN 979-11-85359-32-8 03300

이 도서의 국립중앙도서관 출판예정도서목록(CIP)은
서지정보유통지원시스템 홈페이지(http://seoji.nl.go.kr)와
국가자료공동목록시스템(http://www.nl.go.kr/kolisnet)에서 이용하실 수 있습니다.
(CIP제어번호: CIP2019034874)

* 이 책의 전부 또는 일부를 다시 사용하려면
반드시 저작권자와 북인더갭 모두의 동의를 받아야 합니다.
* 책값은 표지 뒷면에 표시되어 있습니다.